우리 오마니 살아계실 적에

이정하 희곡집

우리 오마니 살아계실 적에

도서출판 | 동인

이 추천의 글에서는 작가 이정하라는 호칭으로 그녀를 표현 하지만 연극계에서 이정하만큼 다양한 호칭을 가지고 있는 여성 연극인은 흔치 않다.

이정하는 우리 연극계를 이끌고 있는 서울예술대 연극과를 졸업하고 이듬해인 1993년 1월 러시아로 건너가 모스코바 국립대에서 정식으로 연극을 공부하였고 베를린예술종합대학으로 가서 세계적으로 배우신체 움직임으로 유명한 안나 크리벨(Anna Triebel)에게 펠덴 크라이트 과정을 사사받고 돌아온 우리 연극계의 학구파이자 실력파이다.

이정하는 30~40대 젊은 연극인들로 구성된 극단 각인각색을 2000년 창단하고 대표의 직함으로 이 단체를 이끌며 우리 연극계를 항상 신선하게 만들어주는 극단 중 하나로 키워 나갔다. 극단 각인각색은 자체 단체의 공연은 물론여성 연출가전을 비롯하여 한국연극협회와 한국연극연출가협회 등 연극계의전반적인 행사에도 꾸준히 참가하여 항상 신선함을 보여주고 있습니다.

또한 이정하는 현재 세명대학교 공연영상학과 교수로 재직하며 자신이 배우고 경험한 소중한 지식과 경험을 제자들에게 가르치며 존경받는 스승으로도 그 자리를 빛내고 있다. 현재 내가 회장으로 있는 한국연극연출가협회 역시 지난 4~5년 간 협회 기획총괄이사로 있는 이정하의 활약이 없었다면 무척 고생하고 있을 협회였음을 고백하고 싶다. 그 외 여러 단체에서 그녀의 존재를 느끼기는 별로 어렵지 않은 일이라고 생각한다.

이제 이정하가 그녀가 그 동안 써온 작품들을 모아 희곡집까지 발표한다는 소식을 들었다. 어떻게 보면 욕심이라고 생각할 수 있지만 이정하를 아는 사람들은 그녀의 당연한 수순이라고 생각한다.

작품의 내용 역시 다양한 그녀의 행보 같이 다양한 모든 것을 모여주고 있다. <우리 오마니 살아계실 적에>는 한국전쟁에서 흔히 볼 수 있는 우리 어머니들의 한과 고통을 여성 특유의 섬세한 필체로 보여주고 있고, <몽중설몽>에서는 신라를 배경으로 어리석은 인간들의 부질없는 삶에 대한 욕망과 다툼, 그리고 죽음을 통해 진정한 삶을 이야기 하고 있고, <최진태 살인사건>에서는 우리 사회의 화두인 사랑에 대해, <소포모어 징크스>에서는 현대 사회의 소통과 이해를 이야기 하는 등 다양한 이야기를 이야기하는 작가임을 알 수 있다.

한 가지 더 이정하의 욕심을 이야기 하자면 이 많은 일을 하는 이정하의 명함 중에 내가 가장 좋아하며 존경하는 명함은 석현엄마라는 타이틀이다. 이 모든 일을 빈틈없이 해내는 이정하는 한 아이의 엄마로서도 역시 그녀의 완벽함을 보여주고 있다.

한아이의 엄마로, 연극연출가로, 극단 대표로, 대학교수로, 많은 문화 단체의 집행부로, 이제 희곡작가로 활약하는 이정하에게 존경의 말씀과 발전을 기원하며 희곡집발간 추천의 말씀을 대신한다.

추천의 글 2 • 중앙대학교 연극학과 강의전담교수 민병은

연출로서의 이정하 교수를 만나게 된 것은 십여 년 전입니다. 거창 연극제에서 관객으로 그녀의 공연을 보았고, 그 후 그녀가 페르난도 아라발 작품을 연출할 때 드라마트루기를 맡아줄 것을 요청하면서 연극으로 맺어진 우리의 관계는 그녀의 가장 최근작인 <백조의 노래>에까지 이어졌습니다. 십여 년간 보아온 연극인으로서의 그녀는 항상 성실하고 열정적이었습니다. 조금 나을 때도, 조금 더 열악할 때도 있지만, 전반적으로 연극제작 현장은 '항상' 어려운 것이 사실입니다. 이정하 교수는 그 어떤 어려운 제작환경이 주어져도 언제나 긍정적으로 받아들이고, 제한된 조건 안에서 최선을 다하는 모습을 보여주었습니다.

그런 그녀가 희곡집을 출판합니다. 아이러니하게도 이번에 희곡집에 수록되는 희곡들의 공연에 저는 한 번도 참가한 적이 없었습니다. 하지만 희곡들을 읽어보니 소재나 배경은 저마다 다르지만, 희곡들 모두 그녀가 바라보는 인간, 인간의 삶, 그리고 인간과 인간 사이의 관계와 소통(또는, 소통의 부재)에 관한 이야기들임을 알 수 있었습니다. 중요한 것은 그런 이야기들을 그녀는 자신의 입장과 시선으로 풀어내고 있다는 것입니다. 사실, 나이 30~40대의 여배우들로부터 할 수 있는 역할이 없다는 이야기를 많이 듣습니다. 젊은 여자주인공 아니면 어머니의 역할이 여자역할의 대부분이라는 이야기일 것입니다. 또한 무대 위 여성의 모습이 입체적이지 못하고 평면적으로 그려진다는 이야기 또한 흔히 들을 수 있는 이야기 중 하나입니다. 이는 남성 극작가나 연출가를 폄하하고자, 또는 여성주의적인 관점을 내세우고자 하는 말이 아닙니다. 다만, 여성 극작가이자 연출가인 이정하 교수가 그러한 갈증을 푸는 데 조금이라도 도움이 될 것을 믿는다는 것을 말하고자 합니다. 왜냐하면 한 사회나 단체가 어떤 관점에 서 있느냐 하는 것보다도 중요한 것은 그 내부에 다양한 관점과 입장이 공존하는가/공존할 수 있는가 하는 것이기 때문입니다. 이 책에 소개된 희곡들뿐만 아니라, 앞으로 그녀가 쓰거나 연출할 작품들이 우리의 연극계에, 여성계에, 문학계에, 그리고 궁극적으로는 우리 사회에 그녀만의 목소리로 그러한 다양성을 제공하는 역할을 담당할 것을 기대합니다. 그녀만이 들려줄 수 있고 보여줄 수 있는 이야기들을 기대하고 지켜볼 것입니다.

차례

우리 오마니 살아계실 적에

▌공연 연보

- 2005년 1월 25일 ~ 30일 서울 대학로 낙산 씨어터 극장
- 2006년 2월 7일 ~ 19일 서울 대학로 마당세실극장
  【2005년 한국 문화예술위원회 사후지원作 선정】
- 2006년 8월 12일 거창 감나무극장
  【제18회 거창국제연극제 참가작 - 은상 수상】
- 2011년 11월 3일 제천 세명대학교 태양아트홀

▌줄거리

서미자 할머니는 황해도 해주에서 천연두에 걸린 아들 박준태를 친정에 맡기고 시댁인 평양으로 돌아가던 중, 6.25 사변이 일어나 남으로 피난 오게 된다. 전쟁 중에 남편은 죽고, 혼자 살아가던 서미자는 충청북도 제천에서 강경식의 아버지와 재혼해 경화와 경섭을 낳는다. 술과 노름에 빠져 살던 남편이 갑작스레 교통사고로 죽어버리지만 억척같이 자식들을 키워낸다. 삶의 우여곡절 속에서도 꿋꿋하고 강인하게 살아가던 그녀는 병원에서 암 선고를 받아들이고 담담히 자신의 남은 생을 자식들에게 피해가 가지 않게 시골집에서 혼자 살면서 자신의 죽음을 준비한다. 북한에 남겨두고 온 아들, 자신의 피붙이 박준태를 그리워 하지만 다른 자식들에게 피해를 줄까봐 찾을 엄두를 내지 못하고 그리워하는데……

▌연출 의도

무던히 참아내시는 어머니.
그 가슴 속 응어리진 피붙이에 대한 사랑 이야기.

갈수록 물질 만능주의적이고, 개인주의가 팽배해지는 현대사회 속에서 '가족'이라는 소재를 다뤄보고자 습작으로 썼던 글을 다시금 다듬어 이번 작품 〈우리 오마니 살아계실 적에〉를 완성하게 되었다.

나는 이 연극을 통해 이 시대의 진정한 가족의 애정이 무엇인지 나름대로 풀어 나가고 싶었다. 또한 한없이 베풀어 주시는, 지고지순한 우리네 '어머니'의 사랑이야기를 나누고 싶었고, "가족"이라는 말에서처럼 공연을 보고나서 삶의 포근함을 되새길 수 있는 시간들이 되었으면 싶다.

내가 듣고 알았던 이런 저런 소재들을 엮어 〈우리 오마니 살아계실 적에〉를 완성하게 되었다. 이번 작품 〈우리 오마니 살아계실 적에〉에서 혈육에 대한 애정과 이끌림의 자연스런 모습을 서미자 할머니와 박준태의 삶을 통해 보여주고 싶었다. 그리고 이 시대의 진정한 '가족의 애정관'에 대해 다시금 생각해보고자 한다. 갈수록 생활은 개인주의적이고 물질만능적으로 변해 사람이 해서는 안 되는 일들을 우리는 접하고 있다. 돈 때문에 발생하는 친족살인은 물론 독거노인문제와 버려지는 아이들……. 우리 사회가 안고 있는 '가족의 해체성'은 비단 우리만의 문제가 아니다. 하지만 이 문제점을 그대로 방치할 수는 없는 일이다. 모두가 인식하고 개선해야 할 우리들의 이야기라고 생각한다. 한없이 베풀어주시고 희생하시는 우리네 어머니. 당신의 한없는 사랑과 애정에 머리 숙여 감사하는 마음으로 '어머니'의 사랑이야기를 나누고 싶습니다. "가족"이라는 삶의 따뜻함을 우리 모두가 생각해보는 시간이 될 바라며……. 이번 작품을 위해 도와주신 배우, 스텝, 모든 관계자 여러분께 감사하는 마음으로 따사로운 봄을 맞이하렵니다.

▌등장인물

● 서미자 (1933년 출생)

6.25전쟁 통에 병든 아들(준태)을 친정(해주)에 두고, 남편과 남으로 피난 오다가 남편은 죽고 충청북도 제천에서 강경식의 아버지와 재혼한다. 서미자는 경화와 경섭을 낳고 3남매를 키우던 중, 두 번째 남편 역시 교통사고로 죽게 되고 혼자서 억척스레 자식들을 키우며 살아간다. 북에 두고 온 피붙이 박준태를 남몰래 그리워하지만 자신의 병과 거처문제로 자식들이 다투고 갈등하는 모습에 고통스러워한다.

● 박준태 (1949년 출생)

서미자의 첫아들로 출산 후 얼마 되지 않아 심하게 천연두를 앓는다. 6.25전쟁 통에 서미자와 남편은 친정에 아이를 맡기고 피신을 하는데 휴전선으로 남북이 나뉘고 그는 자신의 부모와 원하지 않는 이산가족이 된다. 외가에서 자라다가 동독으로 유학을 간다. 어머니를 애타게 보고 싶은 생각과 사상적 이질감을 떨쳐내지 못한 채 망명한다. 그 후 몇 차례 한국을 방문하여 어머니에 대한 정보를 입수하지만 찾지 못하고 돌아선다. 예순이 넘은 나이에 마지막으로 한국을 방문하여 어머니를 찾게 되는데…….

● 강경식 (1967년 출생)

아버지를 일찍 여의고, 동생들을 돌보면서 독학으로 판사가 된다. 6세 때, 처음 자신의 아버지와 재혼하는 서미자와 만난다. 가부장적인 사고를 지니고 있으면서도 정(情)이 많다. 친모는 아니지만 서미자를 자신의 어머니라 생각하며 모시려고 하지만 서울생활을 불편해하는 어머니를 모실 수 없어 안타까워한다.

● 유미애 (1977년 출생)

아버지가 사업으로 번창하던 중 돌아가시고 편모(偏母) 슬하에서 귀하게 자라다가 강경식의 강직함과 외유내강의 모습에 반해, 집안의 반대를 설득하여 재혼한다. 방송국 앵커로 활동하며 커리어우먼으로 인정받고 있다.

● 강경화 (1973년 출생)

독신. 서울의 동대문에서 의류 사업을 하며 혼자 살아간다. 악착같이 돈을 모으며 살아간다. 노름과 술, 여자 문제로 폐인처럼 살아온 아버지를 증오한다. 가족에게 헌신적인 어머니를 이해하지 못한다. 오빠 아내인 유미애를 탐탁지 않게 생각한다.

● 강경섭 (1984년 출생)

서미자의 막내아들이다. 포항 공대생. 국비로 유학을 갈 수 있는 기회와 어머니의 부양 문제에 대해 고민한다. 서미자와 많은 시간을 같이 보내 어머니의 미래를 걱정하고, 형수님의 진실된 가족에 대한 애정도 이해하는 청년이다.

● 오점순 (1952년 출생)

마을 부녀회장. 남편이 죽고 정신지체아인 아들 최봉구와 살고 있다. 불같은 성격이나 잔정이 많다.

● 최봉구 (1986년 출생)

오점순의 외동아들. 어릴 적 싸움하던 부모 옆에서 자다가 툇마루 아래로 떨어져 머리에 충격을 받아 정신적 성장이 7세에 머물러 있다.

무대에 아련하게 '섬 집 아이' 노래가 흘러나온다. 조명은 서서히 암전이 되면서 제천의 평범한 초가집 한 채와 마당의 모습을 볼 수 있다. 초가집 잔영과 함께 들려오는 노래 소리. 점점 사라진다. 새소리가 들리면서 툇마루에서 빨래를 정리하고 방안에 넣어둔 서미자는 딸 강경화가 새벽에 들어온 것을 알아차린다.

미자   (신발을 정리하며) 경화야! 어여, 일어나라.

걸레를 들고 툇마루를 닦아낸다. 바람이 차다. 차가운 바람에 서미자는 북에 두고 온 아들 박준태가 그립다.

미자   (아들이 그립다. 콧물을 닦으며⋯⋯.) 아이고 다 부질없구먼⋯⋯.

그녀는 문득 눈에 보이는 툇마루 위의 나무문갑으로 다가가 정성스레 닦는다. 그리고는 이내, 문갑을 열어 보자기를 하나 꺼내어 풀어본다. 거기엔 박준태의 어릴 적 백일사진이 있다. 서미자는 사진을 손바닥 위에 올려놓고 자꾸 쓸어내려본다.

미자   (북녘 하늘을 바라보며) 준태야⋯⋯.

그녀는 눈시울을 훔치곤 가슴이 저미는 듯, 다시금 사진을 보자기에 정성껏 싸서 집어 넣어둔다. 추억에서 벗어난 서미자는 다시금 일상의 한 자락을 채우듯, 걸레로 반대편 마루를 마저 훔치다가 싸리비를 발견한다. 미자는 쓰러진 싸리비를 어루만져본다. 무슨 생각이 났는지, 우스워 죽겠다는 듯이 키득거리며 웃는다. 막내 아들인 강경섭이 무대 반대편에서 조용히 들어와 서미자를 바라보고 있다.

경섭 (서미자를 바라보며) 저기 계신 분이 저의 어머니입니다. 저는 이 집의 막둥이 강경섭이구요. 어머닌 아마, 저 어렸을 적 생각에 웃음이 나는가 봅니다. 제가 늦게까지 오줌싸개였거든요. 밤새 이불에 지도를 그려놓으면, 크게 호통을 치시며, 소금 받아오라며, 저 싸리비로 제 엉덩이를 몇 대 때리시곤 하셨죠. 하지만, 제가 저 싸리문을 나서는 순간부터, 어머닌 제 뒤를 몰래몰래 따라오시며, 혹시 제가 길바닥에 주저앉아 울지나 않을까 싶어서, 노심초사 하시곤 하셨습니다. 사실, 어머니가 뒤쫓아 오시는 걸 알고부터는, 일부러 길바닥에서 서럽게 울었던 적도 있었죠. 그럼 어머닌, 냉큼 달려 오셔선, 말없이 저를 안고 다독여 주셨죠. 어머닌, 그런 분이셨어요. 겉으로 무심한 척하셔도, 가슴속엔 항상 자식들로 꽉 차 있으셨죠.

서미자는 싸리비를 제자리에 걸고, 걸레를 들고 장독대로 걸어가며, 한숨 섞인 혼잣말을 뱉는다. 서미자의 대사는 모두 혼잣말이다.

미자 아이고, 우리 막둥이가 이번에는 꼭 공부하러 가야되는디, 애미가 자식들 돌부리구먼.

경섭 왜 저렇게 작아지셨는지 모르겠어요. 작고 굽은 어머니의 등을 보면 가슴 한 켠이 시리디 시려웁니다. (퇴장)

잠자던 경화는 잠에서 깨어 밖으로 나온다. 저녁에 마신 술이 덜 깨어 속이 쓰리다.

경화   (하품하며) 아하. 속 쓰려. 엄마 밥 줘.

미자   아이고 이 년아, 니 나이가 몇인데 밤늦게까지 술 처먹고 다니냐?

경화   몰라. 간만에 애들 만나서 신나게 놀았지! 옛날 생각 하면서.

미자   부엌에 밥 차려놨어. 이년아.

경화   네. (부엌으로 나간다)

미자   불쌍한 년. 자식이라고 싸질러놓고 시집도 못 보내고 저리 늙어가니……. 저년 팔자가 날 닮아서 박복한 건지 원…….

경화   (상을 가져 나와 국을 마시며) 아하 시원하다. 이제야 속이 풀리네!

미자   가라는 시집은 안가고, 술이나 처마시고……. 네가 이 모양으로 이러니 남자들이 널 안 데리고 가는 거야.

경화   엄마! 내 나이 마흔 줄이우. 이 나이에. 발 부르트도록 새벽시장 누비면서, 옷 팔아 고생해서, 이제야 번듯하게 가게 차려놨는데, 누구 좋은 일 시키겠다구, 결혼이우? 결혼한다고 나서는 놈들이야, 내 등골 빼먹겠다는 놈들일 테고……. 뭐 하러 그 지옥 같은 불구덩이 속으로 뛰어 들어? 난, 연애나 실컷하다가 죽을라우!

미자   육시할 년!

경화   역시 '서미자'표 콩나물국이야!

미자   (마른 호박잎을 다듬으며) 돼지 같은 년.

경화   근데 엄마는 왜? 편한 서울 오빠네 두고 자꾸 제천 시골 동네에 내려와서 우리에게 비상을 만들어? 왜? 큰오빠와 언니가 엄마 힘들게 해? 말해봐. 응? 나한테 시원하게 말 해보라고. 내 이것들을 당장?

미자   경식이만큼 가족 생각 하는 놈도 없지. 40평생 날 제 친 애미 모시듯

	허고, 내 속 한번 안 끓이고 번듯하게 자라줬어. 말을 잘 안 해서 그렇지, 그 녀석만큼 속 깊고, 정 많은 놈이 또 있을라구.
경화	난 엄마처럼은 안 살아. 시집 한번 갔다 온 게 뭐 대수유? 그러는 아버진, 성질머리 더러워. 전처 도망가구 엄마랑 재혼한 거 아니우? 쌤쌤이구먼! 뭘 그렇게 혼자 국으로 죽어지내우? 그러는 오빤, 아버지랑 뭐 다를 것 같으우?
미자	이년아! 말버릇은.
경화	무슨 말만 하면 다 내 잘못이지. 그렇게 생으로 고생 해봐야, 엄마만 손해야. 남자들 다 똑같아.
미자	저년이! 어이구.
경화	(경화 밥상을 부엌으로 치운다. 목욕 가방을 들고 나온다.) 엄마 나 목욕 갔다 올게! 같이 갈래? (뛰어 들어오는 봉구를 발견하고) 어! 봉구! 오랜만이다. 많이 컸네. 야! 차렷! 열중 쉬어! (봉구 머리에 꿀밤 한 대를 때린다.) 오줌 좀 그만 싸!
봉구	봉구 아퍼. 때리지 마. 아줌마.
경화	누나라고 불러야지?
	싫어. 아줌마야!
경화	이놈이?
미자	어여, 목욕이나 다녀와. 봉구야? 왔냐!

봉구, 서미자에게 바르고 공손하게 인사한다. 20대 후반의 다부진 체격과 잘생긴 외모의 젊은이다. 정신연령은 7살 정도로 말이 어눌하고 감정의 기복은 심하나 심성은 아주 곱다. 이 마을 부녀회장의 아들이다.

봉구	소금 줘요. 할머니. 빨리 소금 주세요.

미자	우리 봉구 또 오줌 쌌구나?
봉구	오줌 쌌어요. 소금 줘요, 할머니. 우리 엄니 쫓아 와요. 빨리 줘요.
미자	그려. 그래야지. 이 할미가 우리 착한 봉구한테 소금 줘야지.
봉구	(공손하게 인사를 하며) 고맙습니다.

무대 반대편에서 봉구를 부르며 부녀회장 뛰어 들어온다. 봉구는 서미자의
치마폭으로 숨으려하나 금세 자신의 어머니인 부녀회장에게 들킨다.

점순	(봉구를 발견하고는 고무신을 벗어 봉구의 등을 사정없이 내리친다.) 이놈의 육시랄 놈이……. 아이고, 내가 못살아. 서방 복 없는 년은 자식 복도 없다더니, 내가 어쩌다 너 같은 놈 뒤치다꺼리에 등골이 빠진다. 아이고…….
봉구	아퍼. 엄마, 봉구 아퍼. 때리지 마. 아퍼. 아퍼. (패악스런 오점순을 피해 서미자의 뒤에 숨는다.)
점순	나가 죽어! 이놈아, 너도 이제 내일 모레면 서른 살이여. 어쩌자고 정신을 못 차리고……. 너 하나 죽어야 내가 편히 사는디……. 아이고, 내 팔자야.
미자	그럼 못써! 봉구라도 있으니까 자네가 사는 거야. 자식이 다 그렇지. 자식은 다 부모 십자간게야. 우리 착한 봉구를 나무라지 말어. 우리 착한 봉구! (눈물을 닦아주며) 봉구야, 저기 가서 고구마 먹자.
점순	(집안을 살피며) 근데, 이번 할아버지 제사에도 이 집 며느리는 안 온데요? 결혼 한 지 일 년이나 됐는데, 아니, 아무리 일하는 며느리라지만 너무 감싸는 거 아니에요?
미자	그런 소리 하면 못써, 이 사람아.
점순	아니, 내가 틀린 말 한 것도 아니고, 이 집 큰 아들이 어떤 아들인데?

아무리 이혼하고 새로 장가를 들었다고 해도…….

미자 그만둬!

점순 말이야 바른말이지. 형님이 낳은 자식은 아니래도 이 집 큰 아들, 형님이 얼마나 떠받들고 살았는지 세상 사람들이 다 아는 얘기잖우? 배워 처먹은 서울 기집년들이 다 그렇지 뭐. 형님이 뭐가 아쉬워서 그런 서울 며느리 눈치 보고 사냐구요.

미자 우리 며느리……. 나 신경 많이 쓰니까 그런 소리 하지 말고 이거나 먹어.

점순 신경 많이 쓰는 며느리가 시어머니 혼자 살라고 이 시골구석에다 처박아놔요?

미자 내가 혼자 사는 게 편해서 그래. 난 서울 아파트 답답해서 못 살아.

점순 아니, 그럼 전원주택으로 이사하면 되잖아요? 돈도 많은 사람들이.

미자 그럼 아이들 직장은 어찌 다니라고? 쓸데없는 소리 하지 말어, 이 사람아!

봉구, 고구마를 먹다가 라디오 켠다. 부녀회장은 신나게 음악에 맞춰 춤추다가 봉구, 채널 돌리고 뉴스를 통해 생모를 찾는 박준태 소식이 들린다. 서미자 놀라 쓰러진다.

점순 형님, 정신 차리세요. 형님! 아이고, 봉구야! 119! 119!

봉구, 열심히 앰뷸런스 소리를 낸다. 음향 앰뷸런스 소리 들리면서 무대 조명 암전된다. 암전 속에서 들려오는 의사의 목소리.

병원의사 목소리   악성빈혈과 함께 영양 불균형 현상이 환자의 건강을 악화시켰습니다. 게다가 당뇨증세도 심각하고 지금 현재 왼쪽 가슴에 드러

난 종양이 더욱 번져가고 있어서 수술이 시급합니다. 하루라도 빨리 가슴을 도려내야 합니다. 그렇지 않으면 환자 분의 생명이 위독합니다. (음향소리 작아진다.)

박준태, 어머니께 부치지 못한 편지를 가지고 무대에 등장하면서 조명 들어온다. 흰 머리카락이 듬성듬성 보이는 그의 모습에서 세월의 흔적이 느껴진다. 그의 대사 중간에 무대로 서미자가 나와 환한 달을 바라보고 있다.

준태 오마니! 오늘은 제 딸년이, 오마니 손녀가 아들을 낳았습네다. 아기를 안고 있는 딸 녀석 모습이……. 사진 속에서 저를 안고 계신 오마니 모습과 너무 닮아서……. 내래, 눈물을 참느라 혼났습네다. 오마니! 무엇 때문에 나는 내 오마니를 내 눈으로 직접 볼 수 없고……. 무엇 때문에 나는 내 오마니를 내 손으로 직접 만져 볼 수 없는지. 보고 싶습네다. 내래 오마니가 무척이나 그립습네다. 오마니……. 오마니!

미자 준태야……. 준태야…….

무대 반대편에서 막내 아들 강경섭은 밥상을 들고 부엌에서 나온다. 서미자는 서울에서의 생활이 불편해 자식들 몰래 시골집에 혼자 내려와 있다. 그는 얼마 전 쓰러진 어머니를 돌보고 있다.

경섭 (태연하게) 엄마! 저녁식사하세요!

미자 (물끄러미 경섭을 바라본다.) 막둥아.

경섭 예!

미자 우리 막둥이가 다 컸구나. 이 어미 밥도 다 차려주고…….

경섭 국 드셔보세요. 내가 엄마보다 더 맛있게 끓였다구요.

미자	고맙다. (눈물을 훔치며) 고맙다. 우리 막둥이…… .
경섭	울지 마. 엄마, 밥 먹자.
미자	그래. 우리 어여 밥 먹자. (두 사람 식사한다.)
경섭	(눈치를 살피며) 형님이랑 경화 누나 곧 내려 올 거야. 부녀회장님이 전화해서 병원 갔더니…… .
미자	애들한텐 말 하지 마라.
경섭	엄마!
미자	막둥아, 난 살만큼 살았어. 그리고 난 치료 안 받을 거다. 여기서 조용히 살다가 그냥 조용히 가는 게 순리야.
경섭	엄마, 병원에서 치료하면…… .
미자	나도 들었다. 말기라 치료를 해도 6개월밖에 못 사는 거 뭐 하러 돈 쓰고 답답한 병원에 있냐? 난 싫어.
경섭	엄마…… .
미자	나 그냥 편히 살다가 네 아버지 있는 곳으로 가련다. 국 식어. 어여, 밥 먹어.
경섭	역시 우리 엄마가 담근 배추김치가 제일 맛있어.
미자	난 우리 막둥이가 끓여 준 콩나물국이 제일 맛있다.
	(밥 먹는 경섭을 보면서) 막둥아.
경섭	예.
미자	그동안 공부하느라 많이 힘들었지? 내가 너한테 미안한 게 많구나!
경섭	아니에요…… .
미자	이번에 외국으로 공부하러 가는 거…… . 꼭 갈 수 있는 거지?
경섭	그럼요.
미자	지난번에 너 공부하러 못 간 거…… . 이 애미 고향이 북이라서…… .

경섭 (밥상을 치우며) 나 우리 학교 연구실에서 인정받고 교수님들 사랑 받는 것도, 지금까지 공부 계속 할 수 있도록 엄마가 뒷바라지 해준 덕분이에요!

미자 우리 막둥이 이제 다 컸네! 내 새끼⋯⋯. (아들을 안는다.)

경섭 오랜만에 우리 엄마 어깨나 한번 주물러볼까?

미자 아냐⋯⋯. 됐어⋯⋯.

경섭 제가 오늘 시원하게 우리 엄마 어깨 좀 주물러 드릴게요!

모자(母子)의 정다운 모습이 보인다. 어머니의 작고 가냘픈 어깨를 주무르며 막내아들 경섭은 말없이 눈물을 감춘다. 음악 소리가 커지면서 조명이 어두워진다.

조명 암전.

조명이 밝아지면 서미자의 기도하는 모습이 보인다. 초가집 앞. 그녀는 자신의 피붙이인 박준태가 그립고 죽기 전 한번쯤 보고 싶으면서도 현재의 자식들에게 피해가 생길까봐 만나는 것을 꺼린다.

미자 비나이다, 비나이다, 천지신명님께 비나이다. 이 모진 목숨 여지껏 자식들만 보며 욕심 없이 살아왔습니다. 제가 지은 죄가 있다면 피붙이 하나 북에 두고 온 죄가 있는데⋯⋯. 그것 때문에 이렇게 고통을 주신다면 기꺼이 달게 받겠습니다. 하지만 우리 애들은 죄가 없습니다. 그러니 제발 죄 많은 이 목숨 하나 거둬 가시고 우리 준태는 그냥 돌아가게 해주십시오. 배 아파 낳은 제 자식을 저라고 보고 싶지 않겠습니까? 하지만 행여라도 우리 경섭이 공부하는데 짐이 될까 두렵습니다. 이 한 목숨 천지신명께 바칠 터이니 그냥 준태는, 내 새끼는⋯⋯. 그냥⋯⋯. 아무 것도 모르게 그냥 돌아가게 해 주십시오.

막내 경섭이 물을 마시러 나오다가 어머니의 기도하는 모습에 잠시 멈춰 서 있다. 서미자 쓰러지면 엄마에게 다가가고 조명 암전된다.

조명 암전.

무대 조명이 밝아오면 평상 주변으로 자식들 모습이 보인다. 경화의 신경질 적인 소리에 조명 들어온다. 경식과 미애, 경화, 경섭은 어머니의 거취문제 와 건강 문제로 대화중이다.

경화	아 답답해! 그러니까, 내 말은 우리 엄마 누가 모실 거냐구요?
경섭	(경화를 말리며) 누나!
경화	아니, 두 시간이 넘게 얘기를 하는데 왜 말을 못하냐고…….
	아, 답답해.
경식	경화야.
경화	뭐?
경식	일단 우리 차분하게 생각해보자.
경화	엄마가 곧 죽는다는데 뭘 차분하게 생각해! 아이, 씨발.
미애	아가씨! 어머니 거취문제는…….
경화	언니가 내려와서 어머니 모시면 되잖아요. 아니면 서울로 모시던가. 언니가 시집 와서 제대로 한 게 뭐가 있어요? 우리 엄마 이제 곧 죽 는다는데, 언니가 우리 엄마한테 한 게 뭐가 있냐구요?
경섭	누나, 엄마 오실 때 됐어. 그만해!
미애	아가씨, 화만 내지 말고 어머니가 지금은 괜찮으시니까…….
경화	(애써 참으며) 언니는 엄마가 진짜 괜찮은 것 같으우?
미애	아가씨, 제 말은…….
경화	내가 처음부터 그렇게 반대를 했구만. 집안에 여자가 잘 들어와야 집

안이 편하다고…….

경섭   누나, 그런 말이 어딨어?

경화   왜? 내가 틀린 말 했니? 아니, 언니. 우리 집 와서 한 게 뭐가 있어? 응? 엄마가 죽는다는데도 자기가 모신다는 얘기 한마디 안 하고 저렇게 버티는 거 봐라. 자기 친엄마면 그러겠니? 사람이 어쩌면 저렇게 차갑니? 아이고 치떨려.

경식   야! 강경화, 너 그게 무슨 소리야?

경화   그걸 몰라서 물어 보는 거유? 다시 한 번 얘기할까?

미애   (남편을 말리며) 아가씨, 지금까지는 제가 방송일 때문에 어머니께 신경 못 쓴 것 저도 알아요. 하지만 저도 어머니께 애쓰려고 노력 많이 했어요.

경화   노력 많이 했죠. 우리 엄마 서울 언니 집에 가서 맘 편히 주무신 적 있어요? 지난번에도 서울 올라오셨다가 일주일도 못 참고 내려왔잖아요? 언니나 오빠나 일한다고 바쁘지? 그럼 나랑 경섭이는 놀아? 나도 일하고 경섭이도 유학준비하려고 밤낮없이 공부하고 있어요. 근데, 언니는 꼴랑 엄마 용돈 보내주는 거 말고 하는 일이 뭐예요? 나도 일하고, 나도 우리 엄마 용돈 보내준다구요!

경섭   (경화를 끌어내며) 누나, 우리 방으로 가자. 응? 누나.

경화   이것 놔! 내가 틀린 말 했어? 배웠다고 배운 척, 있는 척, 고상한 척!

경식   그만두지 못해! (두 사람 퇴장한다. 한숨을 내쉰다. 미애를 살피며) 당신, 괜찮아?

미애   몰라, 왜 내 맘대로 되는 게 하나도 없지?

경식   너무 신경 쓰지 마.

미애   어떻게 신경을 안 써? 자긴 그게 문제야. 속으로만 걱정하구 그렇게 무성의하게 툭툭 말해버리면 그 속을 누가 아냐구. 그러니까 아가씨가 매번 서운하다 그러는 거야. 아가씨 입장에서는 충분히 그럴 수 있지. 그럼, 가운데 있는 나는 뭐가 되냐구…….

경식 …….

미애 그나저나 여보, 우리 어머니 문제 정말 심각하게 생각해야 할 것 같아요.

경식 그게 무슨 말이야?

미애 어머니, 이대로 혼자 둘 순 없잖아. 우리가 서울로 모시고 가 치료를 받을 수 있도록 해야지.

경식 그래야지.

미애 (답답하듯) 여보! 내가 회사에 1년 휴직서 낼게.

경식 여보, 그건…….

미애 나도 알아. 하지만 나도 어머니 돌봐야하는 자식이잖아. 며느리도 자식이고 배 아파 낳지 않았어도 당신 돌봐주시고 키워주신 우리 어머니 내가 돌아가시기 전에 모시고 싶어. 일은 다음에 다시 하면 되잖아. 여보! 어머니 설득 좀 해봐요? 네? 나도 내가 어머니 잘 모실 수 있을지 솔직히 잘할 자신 없어. 하지만 노력이라도 하고 싶어요. 어머니 제천 집에 있는 것만큼 편하시진 않겠지만 서울 병원에 갈 수 있도록 얘기 좀 해봐요? 네? 어머니, 다른 사람은 몰라도 당신 말은 들으시잖아? 응?

서미자, 자식들 밥 차려주려고 밭에 나가 신선한 야채와 채소를 따서 집에 오다가 며느리와 아들의 대화를 듣는다. 자신을 생각하는 자식들이 고맙다. 하지만 자신의 남은 여생을 복잡한 서울이 아닌 시골집에서 보내고 싶다.

미자	(들어오며) 난 서울 안 간다.
미애	어머니…….
미자	(바구니를 내려놓고) 이리 와서 앉아봐라. (모두들 자리 잡고 앉는다. 모두들 말이 없다.) 나는 서울 안 갈 거다. (경화, 경섭 등장) 사람이 태어나 죽는 건 하늘이 정해 주시는 거다. 목숨이라는 게 그래.
경화	엄마!
미자	나는 이 집이 편하고 좋아. 내가 너희 아버지 만나 고생했지만 너희들 키우면서 내 인생의 행복했던 기억과 추억이 있는 집이야. 집이란 게 그런 거다. 여길 떠나 내가 어디서 맘 편히 살면 얼마나 더 산다고……. 난 불편한 건 싫다.
경화	내가 엄마 때문에 미쳐! 엄마, 엄마 수술 안하면 죽는대. 그렇게 죽고 싶어? 응? 이제야 자식들 번듯하게 자리 잡고 효도 좀 하려니까.
미자	얘가 아침부터 왜 소리를 지르고 이러냐?
경식	어머니. 병원으로 가시죠. 수술날짜 잡아 놨습니다.
미자	(단호하게) 난 수술 안 한다. 밥이나 먹자.
미애	어머니…….
경화	엄마, 하루라도 빨리 수술해야 한대. 이렇게 한가하게 밥걱정 할 때가 아니라고…….
미애	그래요, 어머니.
경섭	엄마.
미자	난 내 몸에 칼 대고 싶지 않다.
미애	저희들 봐서라도 이번엔 고집 부리지 마시고 서울 올라가세요! 수술하면 그래도 가능성이 있대요. (서미자는 방으로 들어간다.)
경섭	엄마!

경화	저 놈의 고집불통!

경섭 (경식을 바라보며) 형님. 이제 어떻게 해야 하는 거죠?

경화 (말을 자르며) 어떻게 하긴. 서울로 모셔야지.

미애 우선 어떻게 어머니를 모셔갈지 상의하는 게 좋겠어요.

경화 상의는 무슨 상의요? 그냥 앰뷸런스 불러서 가면 되지.

미애 아가씨, 어머니를 막무가내로 모셔갈 순 없잖아요?

경화 (못마땅한 듯) 새 언니! 만약에 언니 친정엄마라면 이렇게 방치하겠어요?

미애 (도저히 참을 수가 없다는 듯) 그런 말이 어딨어요? 아가씨?

경화 뭐요? 내가 틀린 말 했어요? (미애에게 다가가 시비를 건다.)

경섭 (누나를 잡으면서) 누나, 왜 또 그래?

경화 속상하니까 그렇지!

경식 경화 너 그렇게 감정적으로 얘기 할 거면 서울로 올라가.

경화 (말리는 경섭을 뿌리치며) 뭐라구?

경식 (애써 참으며) 여기서 이 사람한테 자꾸 시비 걸 거면 올라가라고!

경화 나 올라가면 어떻게 할건데……. 응? 오빠가 어떻게 할 거냐고. 우리 엄마야! 아니다. 정확히 따지면 나랑 경섭이 엄마지! 오빠가 우리 마음 이해하는 것처럼 그러는데……. 웃기지 마. 오빠 뒷바라지 하느라고 우리가 포기한 게 얼마나 많은데……. 지금 와서 큰 아들 노릇 한다고 이러는 거야?

경식 너 말 다했어?

경화 아니! 아직 안 끝났어. 사실 오빠랑 새 언니, 엄마가 오빠 생모면 이렇게 엄마 가만 놔 두겠어? 이 시골 촌구석에 엄마 혼자 방치해 두겠냐고! (경식이 경화의 따귀를 때린다.)

미애	(경식을 말리며) 왜 이래요? 여보.

경화 왜 때려? 오빠가 뭔데 날 때리냐고? 내가 틀린 말했어? 오빠 친엄마라면 이렇게 시골 촌구석에 그냥 혼자 살게 놔뒀겠냐고!

미애 (흥분한 경식을 진정 시킨 후) 아가씨! 우리도 노력했어요. 저희도 어머니께 설득도 해보고, 서울 저희 집에도 모셨어요. 하지만 어머니가 아파트 생활도 힘들어 하시고 식사도 제대로 못하시는데……. 저희가 어떻게 해야 옳죠?

경화 그럼, 낯선 서울에서 아파트에 맨날 우두커니 노인네 혼자 앉아 있었을텐데 시골 분이 참을 수 있겠어요?

미애 하지만, 아가씨……. 저희도 각자 일이 있는 사람들인데 어떻게 매일같이 어머니랑 시간을 보내겠어요? 물론, 경화아가씨가 속상해하는 마음은 잘 알아요. 울지 마시고 차분히 생각해 보세요. 전, 하루 종일 어머니랑 같이 지내는 것보다, 어머니 마음 편하게 해 드리는 게 더 중요하다고 생각해요. 저희도 어머니 모시고 잘 살고 싶어요. 하지만 그게 저희 마음대로 되지 않는다고 어머니를 원망할 수도 없는 거 아닌가요?

경식 (미애를 말리며) 여보, 그만둬. 그리고 경화 너도 그만해라.

경섭 형님, 저 유학 포기할래요. 아무리 생각해봐도 제 인생 좋자고 떠나는 건 제가 용납이 안 돼요. 원주에 있는 회사에서 스카우트 제의 받았고…….

경화 야, 너 그 따위 쓸데없는 소리 그만 해.

경섭 쓸데없는 소리가 아냐, 누나. (모두에게) 저도 요 며칠, 심각하게 생각해봤어요. 그래요. 나도 공부하러 가고 싶어요. 이번엔 꼭 가고 싶다구요. 하지만 저한텐 공부보다 어머니가 더 중요해요. 이렇게 불편한

	시골에서 엄마 혼자 사는 거 전 더 이상 싫어요. 형님이나 누나한테 도 마찬가지겠지만 이젠 제가 어머니 행복하게 해 드리고 싶어요.
미애	도련님!
경섭	형수님. 형수님이 어머니 신경 많이 쓰시는 거, 저 알아요. 아무도 몰 래 요리학원 다니면서 엄마가 좋아하는 북한음식 해주시고, 엄마한 테는 비밀이라고 말하고 누나한테 김치 보내주고, 저한테 열심히 공 부하라고 용돈 보내주실 때 저 얼마나 감사했다구요. 다들, 엄마한테 형수님이 어떤 존재인지 아세요? 엄마는 시골에서 형수님 자랑만 하 신다구요. 그리고 아시겠지만 우리 엄마 서울같이 복잡한 도시생활 적응 못하세요. 오히려 엄마 힘들게 할 뿐이라고요. (경식에게 다가가며) 형님, 제가 원주에 취직하면 여기서 매일 출퇴근 할 수 있으니까, 어 머니 제가 모실게요.
경화	넌 그게 말이 된다고 생각하니?
미애	그래요. 그래선 안 되죠. 도련님이 열심히 공부하시고 또 얼마나 노 력하신 일인데……. 이번 유학은 꼭 가셔야 해요.
경식	그래. 공부해야지.
경섭	하지만, 형님…….
경식	아니. 내 말 끝까지 들어. 경섭이 넌, 어머니 걱정하지 말고 유학 가 도록 해라. 그리고 경화 너도 내 말 잘 듣고, 지금까지 우리가 서로 다투고 화냈던 건 모두 잊어버리고 앞으로는 이 사람한테 함부로 말 하거나 행동하지 않았으면 싶다. 나는 어머니께서 아버지랑 재혼 하 신 후, 한 번도 내 어머니가 아니라고 생각 해 본 적 없어. 너희들 태 어났을 때도, 너희들과 함께 자랄 때도 내 동생들 아니라고 생각해 본 적이 없듯이 말이야. 너희들이 날 어찌 생각하든, 내가 비록 서울

에서 어머니 모시질 못하는 건 인정하지만, 제 부모 제대로 모시지 못하는 것도 인정하지만……. 그래, 너희들도 그렇겠지만 나도 어머니 모시고 너희들과 함께 행복하게 살고 싶어. (목이 메어 말을 못한다.) 미안하다. 내가 못나서……. 이게 자식이 할 짓이 아니라는 걸 알면서도……. 경화야, 너한테 묻자. (경화에게 다가와 앉으며) 내가 어떻게 해야 하는 거냐? 응?

그들은 한참 동안 말이 없다. 봉구가 분위기를 깨며 집으로 들어온다. 봉구는 마을에 처음 방문한 박준태를 데리고 싸리문 안으로 들어온다.

봉구   (박준태를 안내해 들어오며) 형, 형. 여기야 여기.

봉구가 박준태를 부르고 집안에 들어가 사람들에게 공손하게 인사를 한다. 무대에 박준태, 천천히 집안을 살피며 등장해 가족들 앞에 멈춰 선다.

준태   실례합니다. (모두들 낯선 준태를 쳐다본다.) 여기가 서미자씨 댁입니까?

미애   그런데요. 근데 누구신지?

준태   저는 박준태라고 합니다. (모두들 박준태를 바라보지만 그가 누구인지 모른다.)

경섭   무슨 일로 오셨어요?

준태   서미자씨를 뵈려고 왔는데…….

경화   우리 엄만데요.

준태   예…….

경식   그런데 어쩐 일로 저희 어머니를 찾으시나요? 어디서 오신 분이신지?

준태   (조심조심) 저는 독일에서 왔습니다. (모두들 의아해한다.) 저는 박경호씨와 서미자씨의……. (갑자기 방문이 열리면서 서미자가 등장한다. 모두들 놀라서 그

우리 오마니 살아계실 적에   **33**

녀를 바라다본다.)

미자 당신이 찾는 사람은 여기 없으니, 돌아가세요.

경섭 엄마.

준태 오마니?

모두들 깜짝 놀라 박준태와 서미자를 번갈아 본다.

준태 오마니, 내레 준탭네다. 오마니 아들 박준태.

미자 ⋯⋯.

준태 오마니⋯⋯. 기억 안 나십네까? 천연두에 걸려 오마니가 해주 외할
머니 댁에 맡기고 귀가하시다 전쟁통에 북에 남겨졌던 오마니 아들
박준탭네다.

미자 난 그런 사람 모릅니다. (그녀는 방으로 들어가 버린다.)

준태 (물끄러미 닫힌 방문을 바라보며) 이렇게 늦게 찾아뵙게 돼서 정말 송구합네
다. 하지만 어쩔 수가 없드랬시오! 오마니, 우선 절부터 받으시라요.

그는 닫힌 방문 쪽으로 절을 한다. 절을 마치고 그는 서미자의 반응을 기다
리지만 아무런 반응이 없다. 그는 무릎을 꿇고 않는다.

준태 오마니?

모두들 박준태의 출현과 서미자의 냉담한 반응에 놀라 바라만 보고 있다.
자식들은 어떻게 해야 할지 모른다. 경화가 준태에게 다가간다.

경화 지금 뭐하시는 거예요?

경식 (경화를 타이르면서) 경화야⋯⋯. (준태에게 다가서며) 저, 일어나시죠?

준태	…….
경식	저희로서는 도대체 뭐가 뭔지……. 일어나셔서 설명 좀 해 주시죠?
준태	죄송합네다. 이렇게 불쑥 찾아와서리…….
경식	저는 이집 장남인 강경식이고 여기는 저희 식구들입니다. 저희 어머니와는 어떤 사이신지…….
준태	정말 죄송합네다. 가족 분들께 미리 연락을 드리고 방문했어야 하는데, 제 마음이 급해서리 제 생각만 했나 봅네다. 내레 박준태라고 합니다. 줄곧 북조선에서 자라다가 이제야 오마니 찾아 온 불효자식입네다.
경섭	북조선에서 오셨다니요? 도대체, 그게 무슨 소린지요?
준태	정확히 얘기하자면 독일에서 왔디요. (경섭, 뭔가 생각난 듯 신문을 읽는다.)
경화	(의아해 하며) 우리 엄마 아들이라구요?
경식	그게 무슨 말씀이시죠?
준태	설명하기가 무척이나 어렵습네다.
경화	(답답하다는 듯이) 뭔 소리야? 야, 너 안 꺼져? 자초지종을 알아야 저희도 이해할 거 아니에요. 뜬금없이 나타나서 갑자기 엄마 아들이라고 하면……. 경섭아, 이게 무슨 소리냐?
경식	예, 사정을 알아야 저희도 도와드리죠.
미애	아가씨…….
경식	예, 아무리 긴 얘기라도 내막을 알아야 저희가 도와드리죠.
준태	6.25 사변이 일어나기 1년 전, 오마니는 북조선에서 저희 아버지인 박경호씨와 결혼하시고 바로 저를 낳았디요. 워낙에 약골이었던 전 천연두를 앓는 바람에, 의사셨던 시골 외조부 댁에 맡겨졌는데, 그때 전쟁이 터졌디요. 오마니와 저는 그렇게 생이별을 하게 됐디요.

우리 오마니 살아계실 적에   35

(경섭은 신문을 보며 준태임을 확인한다.) 내레, 미안하지만 아까 여기 계신 분들 얘기를 다 들었습네다. 오마니가 편찮으시다는 얘기도……. 근데, 어데가 편찮으신지?

경식 그게……. (서미자 방문을 열고 나온다. 자식들 한동안 그녀와 준태를 바라본다.)

미자 어서 내 집에서 나가라는 얘기 안 듣고 뭐하시는 거요? 그래요. 내가 서미자요. 하지만 이미 어긋난 운명입니다.

준태 오마니…….

미자 내가 얘기했잖소. 난 박준태라는 사람 모릅니다. 난 여기 있는 애들 애미되는 사람입니다.

준태 하지만…….

경화 (나서며) 이것보세요! 우리 엄마가 모른다는 얘기 안 들리세요? 어서 가세요.

준태 저도 오마니 자식입네다! 60여년 세월을 애타게 오마니 그리워하며 피눈물 속에 살아왔시오!

미자 이제 와서 과거 얘기를 해 뭐하시려고……. 당신이나 날 위해서라도 그만 돌아가세요. (불편한 듯 기침을 한다.)

준태 오마니께서 가라시면 내래 당장이라도 가갔시오……. 하지만…….

경식 (준태를 말리며) 이러지 마세요! 저희 어머닌 지금 안정을 취하셔야 한다고요.

준태 내레 다른 뜻은 없었습네다. 고조 내 목숨 다하기 전에 오마니 얼굴 한번 보려고 그 긴긴 세월을 참아 왔시오.
이렇게 늦게 찾아와서 정말 죄송합네다. (준태, 짐 챙겨 나간다.)

경섭 저……. 잠깐만요. 저 어제 신문에서 기사를 봤어요. 신문을 읽으면서 귀에 많이 익은 이름이라고 생각했어요. 이제야 알겠어요.

(엄마를 보며) 엄마가 잠결에 부르던, 아이 배냇저고리를 붙잡고 애타게 부르던, 빛바랜 사진 속 그 아이, 박준태. 엄마 맞죠? 그렇죠?

미자 경섭아! 네가 잘못 본 게야. (미애에게) 아가, 어여 배웅해 드려라.

경섭 엄마! 엄마가 그토록 그리워하던 그 분이에요! 엄마 가슴속에 맺힌 응어리 아니었어요? 왜 이제야 찾아오신 분을 내치려고만 하세요!

준태 오마니……. 내레 준탭네다. 오마니가 그리워하던 준탭네다. 내레, 그럴 줄 알았시오. 오마니께서 준태를 기다리고 계실 줄 알고 있었시오. 내레 오마니에 대한 기억이 별로 없습네다. 오마니 얼굴이 기억 나지 않고, 오마니 손길도 기억나지 않습네다. 하지만……. 오마니 냄새가 기억이 납네다. 오마니 품속에서 느꼈던 오마니 살냄새가 기억이 납네다. 내레 바라는 게 있다면……. 고조, 오마니 살아계실 적에, 날 낳아주신 우리 오마니 살아계실 적에, 한 번만……. 딱 한 번만……. 오마니 얼굴보고 '오마니'하고 불러보고 싶었습네다. 육십 평생 내 가슴에 품어왔던 우리 오마니 얼굴 내 눈으로 직접 바라보면서 '오마니!' 하고 불러보고 싶었습네다. 오마니! 오마니가 내 오마니 맞디요? 그렇디요?

준태, 기다리던 어머니에게서 아무런 반응이 없자 결국 모든 것을 포기하고, 자신의 옷을 챙겨 돌아선다.

미자 (정신을 차리면서 겨우 일어나려고 애쓰며) 준태야. (준태 걸음을 멈춘다.) 내 새끼가 내 업보인줄만 알았던 내 새끼가 이제야 애미 찾아왔는데……. 준태야, 어디보자. 내 새끼. (손을 뻗어 그를 부른다. 준태 그녀에게 뛰어가 껴안는다.) 미안하다. 미안하다…….

준태 오마니……. (서미자와 박준태는 부둥켜안고 오열한다.)

우리 오마니 살아계실 적에   **37**

모두들 가슴 졸이며 그들을 지켜본다. 서미자와 박준태는 세월 속에 묻어뒀던 서러운 울음덩어리를 터트린다. 지켜보던 미애, 경화, 경섭, 경식 또한 눈시울이 뜨겁다. 음악이 잔잔하게 깔리면서 그들의 아픈 세월의 정서가 느껴진다.

조명 암전.

에필로그 __ 우리 오마니 살아계실 적에…….

무대에 자식들 각각 서서 객석을 바라보며 서 있다. 6개월의 시간이 흘러 서미자는 편안하게 인생 말년을 그리워하던 아들과 시골집에서 보내다가 죽는다.

미애   여보! 우리 어머니 좋은 곳으로 편히 가셨을 거예요. (조명 in)

경식   당신께서는 형님과의 짧은 만남 이후에도 수술은 하지 않으셨습니다. 햇살 가득한 봄날, 준태 형님 품에 안겨 아주 행복하게 웃으면서 편히 잠드셨습니다. 마지막으로 그동안 하지 못했던, 하지만 제 가슴 속에 고이 담아둔 이 말을 하고 싶네요. 어머니, 사랑합니다.

미애   어머니를 끝까지 잘 돌봐드리지 못해 자식으로서 할 말은 없습니다. 하지만 어머님께서 북에 두고 온 아들을 만나게 됐고, 한 평생 가슴 속 한을 풀고 돌아가신 건, 어머니 당신의 가장 큰 소망을 이룬 일인 것 같습니다. 어머니 돌아가시기 전, 저희 가족의 따뜻한 화해 속에 찍은 가족사진을 오늘에야 찾아왔습니다. 사진 속 어머니 모습이 얼마나 곱고 행복해 보이던지요.

경화   저는 엄마가 수술을 받지 않은 것이 많이 속상하지만, 할 수 없는 일인 것 같아요. 세상에 자식 이기는 부모 없다지만, 우리 엄마 고집은 알아줘야 한다니까요? 저희들도 자식된 도리를 다했다고 생각은 않

	지만, 글쎄요? 준태 오빠랑 시골집에서의 생활에 많이 만족스러워 하셨으니……. 저희가 더 이상 어떻게 하겠어요?
경섭	결국 전 유학을 가게 됐고 불행히도 어머니의 마지막 모습은 지켜볼 수 없었습니다. 하지만 준태 형님이 6개월 동안 찍어두신 어머니 모습을 아직도 돌려 보곤 합니다. 참 많이 행복한 모습이었어요. 지금 생각해봐도 그때 어머니께서 원하시는 대로 시골집에서 지내도록 한 건 잘 한 것 같아요. 저희 어머니 많이 행복해 보이시죠?
준태	제 인생에서 가장 행복한 6개월의 시간이었습네다. 우리 오마니 살아계실 적에 오마니와 함께 보낸 그 시간들이 이젠 제 마음속에 추억으로 간직되겠지만, 전 얼마나 행복한지 모릅네다. 오마니께서 조금만 더 살아계셨더라면 자식 된 입장에서 더 편하게 밥 한 번 같이 먹고, 손 한번 잡아드리고, 어깨 한번 주물러 드리고……. 그런 게 효도 아니겠습네까? 짧은 시간이었지만, 우리 오마니 살아계실 적에……. 오마니의 자애롭던 눈빛, 마주앉아 하던 식사……. 거칠고 투박한 주름투성이의 손마디지만, 제 손 꼭 붙잡고 당신의 따뜻한 품에 안겨 잠들었던 기억……. 오마니, 우리 오마니……. 고저, 편히 잠드시라요.

박준태는 다른 자식들의 대사를 들으며 어머니 서미자를 데리고 무대 위에 나온다. 박준태와 서미자는 따뜻한 햇빛을 받으며 마루 위에 앉아 있다. 서미자는 고운 한복 수의(壽衣)를 입고 있다. 자식들은 박준태의 대사가 끝나면 모두들 어머니를 바라보고 선다. 서미자, 햇살 가득 받으며 행복한 웃음으로 앉아 있는 모습이 보인다. 자식들 그녀의 영전(靈前)에 절을 한다.

조명 암전.

공연 무대 사진

서미자 役 김정효, 강경화 役 박소영

서미자 役 박은희, 강경섭 役 박영진

박준태 役 이영성

서미자 役 김정효, 강경식 役 김종운, 유미애 役 강아름

서미자 役 김정효, 박준태 役 이영성

박준태 役 이영성, 강경화 役 박소영, 강경섭 役 강준구, 유미애 役 강아름, 최봉구 役 이상훈

연습 사진 _ 2006년 2월 7일 ~ 19일 서울 대학로 마당세실극장

2006년 공연 포스터

본 공연은 충청북도문예진흥기금에서 사업비 일부를 지원 받았습니다.

우리 오마니
살아계실 적에...

작/연출 이정하

공연 일시 : 2011년 11월 3일 (목) 오후 4시 / 7시
공연 장소 : 제천 세명대학교 태양아트홀

주최 : 충청북도
주관 : 극단 인저리 캐븐
후원 : 세명대학교

2011년 제천 공연 포스터

몽중설몽夢中設夢

(부제: 몽夢, 네가 정녕 꿈이더냐?)

▌공연 연보

- 2006년 8월 1일 ~ 6일 서울 대학로 마당세실극장
- 2006년 11월 14일 ~ 26일 서울 대학로 마당세실극장
  【2006년 한국문화 예술위원회 신진예술가 지원작】
- 2007년 8월 4일 ~ 5일 통영 문화예술회관
  【2007년 제3회 통영 전국 소극장 축제 참가】

▌줄거리

진골정통의 핵심인 지소태후는 자신의 권력을 확장하기위해 견제세력인 며느리 사도왕후를 폐하고 자신의 딸인 숙명공주와 공주의 동모제(同母濟) 오빠인 진흥왕(아들)과의 혼례를 계획한다. 하지만 대원신통의 미실의 도움으로 사도왕후는 자신의 안위를 도모할 수 있게 된다. 그 후, 사도왕후는 자신의 신변에 위험을 느끼고 미실과 결탁하여 지소태후를 견제한다. 이에 분노한 지소태후는 자신의 아들인 세종의 색공지신(色公之臣)인 미실을, 색(色)으로 세종의 기(氣)를 취한다는 이유를 삼아 궁 밖으로 쫓아낸다. 하지만 세종은 미실에 대한 연모로 상사병을 앓게 되고 아들을 살리기 위해 지소태후는 미실을 다시금 궁으로 불러들이는데……

▌연출 의도

〈몽중설몽(夢中說夢)〉은 신라 왕권에 대한 이권싸움의 혈투를 벌이는 진골정통의 지소태후와 대원신통의 사도왕후를 중심으로 4명의 여인들 간의 욕망과 애증, 사랑을 묘사하였고 새로운 인물 창조를 표현하고자 하였다. 역사적 사건과 인물들의 삶과 사랑, 권력에 대한 여인네들의 치열한 사투와 쟁탈전. 지소태후와 사도왕후의 정치권력에 대한 욕망을 중심으로 극의 사건은 이어지고, 미실은 자신의 미색(美色)과 함께 할머니인 옥진으로부터 다양한 방중술(房中術)을 익혀 색공지신(色公志臣)으로 당시 신라의 3대왕(진흥왕, 진지왕, 진평왕)을 섬기며 색으로 권력을 지배한 여인이다. 연출

자는 공연 창작 활성화 작업에 있어서 공연예술의 한정된 소재를 개발하고 새로운 인물창조와 무대화를 목적으로 이번 공연을 준비하게 되었고 관객들에게 다양한 볼거리를 제공하리라 생각한다.

인생의 부질없음을 또다시 각인시키는 이번 작품은 인간의 헛된 욕망과 권력다툼, 그리고 혈연간의 애증과 치열한 사투의 처절한 결론을 보여주며 삶에 대한 새로운 시각을 열어 줄 것이다. 인물의 역할 창조에 있어서의 새로운 접근법과 언어와 행동의 시각적(회화적)인 기법과 함께, 우리 소리와 장단 그리고 몸짓을 통해 다양한 인물창조를 시도해 볼 수 있는 계기가 될 것이다.

▌등장인물

지소태후

사도왕후

미실

옥진

진흥제

세종

사다함

수탉1

수탉2

무대에 객석조명이 하나씩 꺼지면서 안개가 자욱하게 깔리고 멀리서 부엉이 소리가 들린다. 인적이 드문 공간에 천둥소리와 더불어 세찬 비바람이 불어온다. 어두컴컴한 은행나무 실루엣이 보이면서 하늘 가득 빨간 노을이 산자락 가득히 피어오른다. 음향효과가 들리면서 무대 밝아오면 수탉들이 보이고 옥진, 단 위에서 수탉들의 자리싸움을 지켜본다. 수탉1은 무대에 등장하여 커다랗게 한 바퀴 돌고 가운데 의자 위에 앉는다. 수탉2는 무대 반 바퀴를 돌고 수탉1에게 다가가 쳐다본다. 수탉1은 외면한다. 수탉2는 한참을 수탉1을 쳐다본다.

수탉1　　왜?!

수탉2　　내 자리야.

수탉1　　어?!

수탉2　　내 자리야. 내 자리야. 내 자리야. 내 자리야.

의자 주위를 돈다. 그리고 수탉1을 쪼아서 내려오게 한다. 그리고 의자 위로 올라간다. 힘껏 목청 높여 소리지르며 좋아한다.

수탉1　　내 자리야!!! (수탉2를 발로 찬다.)

수탉2　　(의자에서 내려온다.)

수탉1　　(의자 위에 올라가 좋아한다. 수탉2는 자리 잡고 앉는다.)

옥진   쯧쯧쯧. 다 어리석은 짓이다. 그 위가 무엇이 다르다고……. 자리가 좁아 맘껏 뛰놀지도 못할 것이고, 혼자 있으니 곧 외로워질 것을……. 어차피 내려올 수밖에 없는 것을……. 한 발짝만 물러서서 보면 세상이 다 너희의 것일진데, 어찌 서로 다툰단 말이더냐?

음악, 천둥 번개소리. 포그. 음악효과가 사라질 즈음 15살의 세종과 14살의 미실의 모습이 보인다. 미실의 품에 안겨있는 세종은 합궁 이후의 행복한 모습이다. 환히 웃는 세종의 얼굴 가득 행복함이 묻어난다. 이들을 지켜보는 3명의 여인이 있다. 세종의 어머니인 진골의 지소태후와 진흥제의 정실인 사도왕후 그리고, 옥진(혼령)의 모습이 보인다.

음 향: 신라 제23대 법흥은 나라의 연호를 견원이라 칭하고 골품제도를 정비하였으며 당시 화랑도를 공인해 금관가야 정복에 앞장섰고, 대가야를 정벌해 권력의 주도권을 장악하게 되었다. 그는 보도부인 박씨 사이에서 지소부인 김씨를 낳았고, 지소는 입종갈문과의 사이에서 낳은 24대 진흥이 7세에 왕위에 오르자 섭정(攝政)하여 진골 정통으로 신라의 혈통을 지키려하였다. 법흥제의 색공지신이었던 옥진은 자신의 딸 사도를 진흥의 정실로 들이고, 재색이 뛰어난 자신의 손녀딸 미실을 색공지신으로 훈육하여 지소의 아들 세종의 색공지신으로 입궁시키게 되는데…….

지소태후   세종은 어디 계신가? (이화랑 지소의 귀에 속닥속닥. 소리는 들리지 않는다.)

(노기를 띠며) 어찌 그 아이란 말이냐?

세종   미실…….

미실   마마! …….

세종   미실…….

미실   왜 그러십니까? ……. 저를 사랑하십니까? (세종, 고개를 끄덕인다.) 다시 듣고 싶사옵니다. 저를 사랑하십니까?

세종   내겐 당신뿐이오.

지소태후   내 육신을 빌어 태어난 내 자식 세종이 어찌하여 대원신통인 미실에게 넋을 잃고 설레어한단 말인가?

세종   나를 어찌하려오.

미실   몹시도 원하십니까?

지소태후   아들아, 네게 미실은 그저 지나가는 바람일 게라 여겼건만, 한낱 계집의 향기에 취해 헤어나질 못한단 말이더냐?

미실   무엇을 원하시는지요?

세종   오직……. 너 하나……. (미실과 세종은 또다시 하나가 된다. 세종의 곧게 세워진 성근은 미실의 포궁(胞宮)에 파정한다.)

지소태후   무릇 남자란 첫 파정이 끝나기가 무섭게 다른 여인을 찾는 것이 세상 모든 남자들의 본색인 것을…….

사도왕후   어찌 태후마마께선……. 세상 남자들을 그리 보는가? 어찌하여 세상의 모든 지아비들이 다른 여인들을 탐한다 하는지…….

지소태후   뭣이라?! 흥?! 대원신통의 사특함과 간계함을 어찌 말로 다 설명하겠는가!

미실   오늘도 태후마마께 아니 가시옵니까? 그럼……. (세종에게 귓속말로 속삭인다.)

지소태후   내 숙명과 진흥의 혼례를 거행하여 이 나라의 맥을 분명코 진골정통으로 이어나가리라!!!

세종은 미실을 안고 퇴장한다. 사도왕후는 석고대죄를 하며 지소태후에게 숙명과 진흥의 혼례를 거행하지 않도록 간청한다. 무대 한편에서 진흥 등장한다. 그는 다른 공간에서 사도를 찾는 모습이 무대에 형상화되어야 한다.

사도왕후 어마마마 살아생전 뜻하심을 행하는 것이 마땅하나 어찌 천륜의 연이라 할 수 있는 저와 진흥제를 떼어내려 하는지…….

진흥제 사도야…….

지소태후 능히 동모제(同母弟)인 진흥과 숙명의 혼례를 정함이 마땅한 것을 감히 누가 시시비비를 논한단 말이냐?

사도왕후 진흥은 나의 지아비이고…….

진흥제 오늘은 사도와 뭐하고 놀까?

사도왕후 나는 이 나라 신라의 국모. 이 나라의 세자가 나의 배를 빌어 낳은 자식 '동륜'임을 부인하려 하는가?

지소태후 한 나라의 국모로서 체통을 지키셔야지.

사도왕후 지아비를 섬김을 내 몸 같이 하고 지아비의 뜻을 받자와 따르는 것을…….

진흥제 사도야~ 어딜 간 게지? (진흥 퇴장)

사도왕후 게다가 진흥은 숙명과의 혼례를 탐탁치않게 여기고 있사오며…….

지소태후 (말을 자르며) 뭣이라?! 사도의 오만방자함이 나를 능멸하는구나!!
　　　　　이 나라의 왕위는 반드시 진골의 피로 계승되어야 함이야.

옥진 진골이면 어떻고 대원이면 어떠한가.

지소태후 그것이 곧 법이고, 그 법을 통하여 이 나라가 계승 될 것이다.

사도왕후 마땅히 신국에는 신국의 도가 있는 법. 이 도리를 어기고 어마마마께서 나를 폐하시려 하다니? 어찌 한 나라의 어른이신 어마마마께서 저의 지아비인 진흥과 그의 동생인 숙명의 혼례를 거하려 하십니까?

지소태후 그것이 법도니라.

사도왕후 아직은 제가 이 나라의 국모입니다. 마마…….

지소태후 진흥과 숙명의 혼례가 이뤄지면, 사도는 바로 폐위될 것이다.

사도왕후 (쏟아지는 눈물을 애써 참으며) 어찌 저에게 이러십니까? 지금껏 어마마마
　　　　　를 공경한 저의 뜻을 이리도 몰라주십니까? 태후마마, 태후마마.

옥진　　　사도야 ! 내 가여운 딸 사도야……

　　　　수탉1과 수탉2는 부산스럽게 움직이며 얘기를 주고받는다. 대화 중간에 미
　　　　실과 세종의 모습이 보인다. (술래잡기) 사도의 모습도 한켠에 보인다.

수탉2　 (급히 뛰어나온다.) 형! 형! 큰일 났어~~

수탉1　 뭔 일인데?!

수탉2　 지소태후가 사도왕후를 쫓아낸다네?

수탉1　 그래? 지소가?

옥진　　 (자기자리에서) 그리 쉽게 폐위될 사도가 아닌 것을…….

수탉1　 뭐, 지소태후가 작정을 하면 안 되는 일이 없는 세상이니까…….

수탉2　 근데 형! 그럼 미실은 어떻게 되는 거야?

수탉1　 거야 나도 모르지~ (수탉들 뒤 쪽으로 이동 _ 동상)

　　　　무대 뒤쪽으로부터 미실과 세종의 술래잡기가 시작. 이때 무대 전면으로 등
　　　　장. 세종이 술래 미실이 도망치다가 일부러 안기고 세종 으스러지게 미실을
　　　　껴안는데…….

세종　　 어찌 기나긴 한숨을 내 쉬는가?

미실　　 아니옵니다.

세종　　 (부드럽게 미실을 안으며) 어허, 지아비의 말을 듣고 어찌 바로 고하지 않
　　　　　는 게요?

미실　　 (세종을 살피며) 전군께, 저의 사적인 염려를 끼치는 것이 도리가 아닌
　　　　　듯하여…….

세종	나의 사랑 미실. 숨김없이 고하시오. 당신이 근심하면 나의 마음도 근심으로 가득할 것을…….
미실	전군마마, 진흥께서 숙명과 결혼하면 저의 이모인 사도왕후께서 폐위된다는 흉흉한 소문이 저의 마음을……. (흐느낀다.)
세종	미실, 그리되지는 않을 것이오.
미실	허나……. (그윽한 눈으로 세종을 바라보며 그의 몸에 정기를 불어넣어 주며 그의 답을 기다린다.)
세종	어허. 어머니의 뜻대로 그리 되지는 않을 것이오. 형님에게는 사도왕후 뿐이고, 숙명에게도 이미 마음 속 정인이 있는 것을…….
미실	(흠칫 놀라지만 세종을 바라보며) 그것이 무슨 말씀이신지?
세종	내게 당신이 전부이듯, 숙명에게도 마음속 정인이 따로 있음이지요.

장면에서의 조명이 바뀌면서 미실은 자신의 이모인 사도왕후에게 자신이 알아낸 정보를 말한다. 옥진은 무대 한켠에서 그들의 모습을 지켜본다.

미실	이모님. 내일 해가 동녘으로 뜨기 전, 진흥께 눈물로써 청매죽마의 깊은 마음을 아뢰십시오.
옥진	미실아. 너의 명민함이 너를 옭아맬 것이다.
미실	진흥의 마음속엔 이모님 한 분 뿐입니다.
사도왕후	그렇다고 무엇이 달라지겠는가?
미실	이모님께선 진흥을 놓으시면 아니 됩니다.
사도왕후	정녕, 그리하면 되겠느냐?
미실	진흥을 믿으십시오!!! 지소태후가 이모님을 궁 밖으로 내쫓기 전 미리 손을 써야합니다.
사도왕후	(다짐하며) 미실아, 내 너의 지혜로운 충언을 그대로 실행하리라.

사도왕후는 의복에 달린 끈을 풀어 자신의 목을 조르며 진흥 앞에 통곡을 한다.

사도왕후 (의복을 엉클고 소리 질러 진흥을 부른다.) 아이고, 아이고……. 원통하고 억울합니다. 소첩이 무슨 허물이 있어서 지아비이신 황제께서 저를 내치려 하십니까? 왕후의 자리가 아까워서도 권력의 자리를 탐해서도 아닙니다. 당신의 사랑을 잃을까, 동륜과 금륜에게 욕된 어미의 이름을 남길까 그것이 두렵습니다.

진흥제 (짐짓 놀라며) 이 무슨 황망한 소리입니까? 왕후, 도대체 이게 무슨 짓이오?

사도왕후 진흥!!! 내가 당신에게 일곱에 시집 와, 지금껏 청매죽마로 당신과 지내었고 사랑받으며 이제 이 나라의 왕위를 계승할 왕자 동륜을 낳고 금륜과 다정히 자라는 것을 낙으로 삼아 살아가는 저를 정녕 이리 내치실 겝니까?

진흥제 누가 그런 사특한 간계로 당신을 이리 괴롭힌다 말이오?

사도왕후 (눈물을 흘리며 간곡하게) 저는 왕후라는 자리도 국모라는 칭호도 싫사옵니다.

진흥제 그런 말 마시오. 그 누가 뭐라고 당신을 책한다 하더라도 이 나라의 국모는 사도왕후 당신뿐이오.

사도왕후 정녕 그것이 진심이십니까?

진흥제 나를 믿으시오.

지소태후 (조명 in) 저런, 사특한 것이 있나? 내가 사도의 명민하지 못함을 잘 알거늘……. 저 혼자의 꾀가 아닐 것이야. (미실이 떠오른다.) 내 이년을! (화가 머리끝까지 나서) 미실을 당장 불러 들이거라!

무대에 끌려나오는 미실은 지소태후 앞에 꿇려 앉는다. 지소태후의 날카롭고 매서운 기운에 미실은 어찌할 줄 모른다.

지소태후 내 너를 부른 연유를 네가 아느냐?

미실 ······.

지소태후 어찌 대답을 하지 않는 게야?

미실 (지소태후의 싸늘한 목소리에 흠칫 놀라) 미천한 어린 것이 어찌 태후마마의 심언(心言)을 알 수 있겠습니까?

지소태후 이런 요망한 것을 보았나! 여기가 어디라고 네 입을 함부로 놀려 나를 시험하려 하느냐?

미실 (태후의 말을 듣고 몸 둘 바를 모른다.) ······.

지소태후 내 공경의 미녀들을 불러 연회를 연 까닭이 무엇이라 생각되느냐?

미실 ······.

지소태후 내 다시금 묻겠다. 연회를 연 까닭이 무엇이라 생각되느냐?

미실 (조심스레) 전군이신 세종을 위한 어머님의 은혜로운 마음이라 사료되옵니다.

지소태후 (현명하게 답하는 미실을 바라보며) 그래. 그럼 너는 성심성의껏 세종을 뫼시고 있는가?

미실 (진심으로) 예.

지소태후 네 진정으로 답하는 것이냐?

미실 그러하옵니다. 제가 어느 안전이라고 감히 거짓을 고하겠습니까?

지소태후 내 너의 명민함을 집작치 못하겠으니 전군을 모시는 너의 진정한 소임을 소상히 고해 보거라.

미실 제가 알고 있는 모든 지식을 동원하여 전군 뫼심을 소홀히 하지 않고, 글을 가까이 하여 서책을 즐겨 읽어 말동무로서 역할은 물론이옵니다. 또한 몸과 마음을 정결케하여 전군을 기쁘게 하는 것이 저의 소임이라 사료되옵니다.

지소태후 과연 네가 해야 할 것들을 잘 알고 있구나. 그럼, 네가 네 소임을 소홀히 할 땐 어떤 벌을 받아야 마땅하겠느냐?

미실 무슨 말씀이신지요?

지소태후 네 정녕 명민한 아이라면 너의 잘못을 어찌 벌할 것인지도 알 터인즉!

미실 태후마마!

지소태후 네 죄를 네가 알지 못하다니, 그건 어찌 설명하겠는가?

미실 태후마마……. 소녀, 태후마마의 깊은 뜻을 알지 못하겠사옵니다.

지소태후 내 너로 하여금 세종을 뫼시게 함은 세종의 건강과 안위를 보살핌은 물론이고 심사에 있어서의 안녕을 바람이었다. 헌데 요사이 세종의 심신을 보면 가히 사람의 몰골이 아님은 무슨 연유이더냐?

미실 그것은 전군께서 사도왕후의 안위를 걱정하심이…….

지소태후 (말을 잘라 소리치며) 저런 발칙한 계집이 있나? 저년을 당장 끌어내라.

미실 태후마마, 억울하옵니다.

지소태후 무엇들 하는 게냐? 어서 끌어내지 않고.

미실 태후마마, 소녀 마마께서 명하신 대로 몸과 마음을 다해 세종 전군을 뫼시고, 성심성의를 다하였습니다. 마마의 명을 받자와 전군을 모신 제가 도대체 무엇을 잘못했단 말씀이십니까?

지소태후 듣기 싫다!

미실 태후마마, 억울하옵니다.

세종이 뛰어와 지소태후 앞에 무릎을 꿇는다.

세종   어머니, 모두가 소자의 잘못입니다. 미실에게는 죄가 없습니다. 무지했던 소자가 어린 마음에 형님과 사도왕후가 걱정스러워 미실에게 왕후의 마음을 달래 드리라 한 것이……

지소태후   세종은 물러나시오!

세종   어머니, 소자를 탓하소서. 미실에게는 죄가 없습니다. 어머니…….

미실   태후마마!

지소태후가 궁 밖으로 미실을 내치는 신호 소리로 미실은 세종을 바라보다가 퇴장한다.

지소태후   미실의 아름다움이 신라에서 제일인 것은 인정하나. 진골이 아니거늘…….

세종은 원망의 눈빛으로 어머니를 바라보다가 퇴장한다. 결혼에 기뻐 연주되는 음악. 무대에는 결혼식을 흡족해하는 지소태후.

지소태후   경축하라. 나의 아들 진흥과 동모제인 숙명의 혼례를 이 나라 모두가 기뻐하라. 이제야 이 나라의 맥이 순수 혈통인 진골의 피로 계승될 것이다.

수탉2   형! 매일매일 이렇게 결혼식만 하면 좋겠다.

수탉1   (뒤뚱뒤뚱 _ 등장) 꺼억~ 아~ 배부르다. 이러다가 잔칫상에 우리가 올라가겠다.

수탉2   말도 안 되는 소리 하지 마!! 어?! 지소는 입이 찢어지도록 좋아하는데. 신랑 신부는 또 똥 씹은 표정이고……. 형! 왜 그래?

수탉1   아!! 그거?? 진골인 지소가 자신의 권력을 유지하기 위해 진흥과 동생 숙명을 결혼시킨 거잖아!!

수탉2 뭐?! 남매끼리 어떻게 결혼을 하냐!!

수탉1 으이그!! 동모제(同母弟)라서 가능한 거야!!!

수탉2 동모제가 뭐야??

수탉1 동모제란, 어미는 같고 아비가 다른 형제를 말하는 거야.

수탉2 아무리 그래도 그렇지, 완전 개판이구만……. 아니야. 절대 그럴 수 없어!!

수탉1 왜 안 돼?!

수탉2 안 돼!! 진흥은 평생 사도랑 살아야 해!

수탉1 돼!!

사도왕후 진흥, 지금껏 당신을 믿고 살아 온 저를 궁 밖으로 내치시면 저는 어찌 살라고…….

진흥제 (사도를 생각하며) 사도 미안하구려. 어머니의 뜻대로 숙명과 혼례를 치르긴 하였으나…….

사도왕후 (진흥을 원망하듯) 어찌 저에게 이러십니까? 정녕 저를 버리실 겝니까?

진흥제 사도, 내 무슨 일이 있어도 당신만은 지켜 주리다.

사도왕후 (슬픈 그녀) 당신이 원망스럽습니다.

조명 암전.

미실은 궁에서 쫓겨나 화랑인 사다함을 만나 새로운 사랑에 빠진다. 전쟁에 나가있는 사다함을 위해 아름다운 자태를 뽐내며 바람을 가슴가득 맞이하며 기뻐 춤을 춘다. 그녀는 사다함의 무사귀환을 바라며 혼자서 송출정가(送出征歌)를 읊어낸다. 옥진은 미실을 바라보고 있다. 옥진은 모든 장면에 존재하며 저승으로 떠나지 못하는 혼령의 모습으로 사람들을 지켜본다. 무대 다른 편에 사도왕후의 쓸쓸한 모습도 비쳐진다.

미실	바람이 분다고 하되, 임 앞에 불지 말고
	물결이 친다고 하되, 임 앞에 치지 말고
	빨리빨리 돌아오라 다시 만나 안아보고
	아흐, 임이여 잡은 손을 다시 물리라뇨?
	사다함! 나의 영원한 정인(情人), 나의 목숨, 나의 생명…….
옥진	아가야. 사랑의 단내가 그리도 좋으냐?
미실	사다함! 어서 돌아오세요. 당신이 돌아올 곳에 미실이 있습니다.
사도왕후	어디 있는 게요. 조카! 네가 내 곁에 없으니 나는 한 쪽 날개가 부러진 새와 같구나.
미실	당신을 위해 지어놓은 의복과 당신을 위해 심어놓은 곡식. 당신과 함께 할 보금자리에서 미실이 기다리고 있습니다.
옥진	정인을 그리워하는 네 모습이……. 참으로 곱디곱구나. 허나…….
사도왕후	미실아……. 반드시 궁으로 돌아와 나의 날개가 되어다오.
미실	평범한 여인네로……. 그대의 아내로. 평생 살아갈 것을 생각하니 이보다 행복 할 수 없습니다.
옥진	색공지신으로서의 삶이 너의 운명인 것을…….

무대에 미실과 옥진의 대화가 진행되면서 미실을 잊지 못하고 시름하는 세종의 모습이 보인다. 지소태후 또한 어린 아들이 걱정스럽다. 이화랑은 지소태후 곁을 지키고 있다. 사도왕후는 세종에게 미실의 근황을 알려 세종으로 하여금 미실을 그리워하게 만든 장본인이다.

세종	미실……. 정녕 나를 잊고 웃으며 살수 있단 말이오?
미실	어찌 나를 원망한단 말인가? 이미 나와는 무관한 일이야. 내겐 사다함과 부부의 연을 맺고 한평생을 해로하기로 약조한 것이 내 삶이고

　　　　　 행복이야.

지소태후　내 살아있는 그 날까지 대원의 씨를 반드시 멸하리라.

옥진　　쯧쯧쯧. 태후의 뜻대로 될 수 없음을 어찌 모를까?

세종　　미실…… 전 당신 없이 그렇게 살 수가 없소이다.

지소태후　전군, 어찌 그리 나약하시오. 그 요망한 계집이 무엇이간데…….

사도왕후　고귀하신 태후마마, 아직도 모르겠습니까? 이미 세종의 목숨은 미실
　　　　　 의 손아귀에 있다는 사실을…….

세종　　그대를 잊지 못하고 죽어가는 나를 그대는 정녕 모른 체 하시려오?

미실　　전군과의 사랑은 내가 궁에서 쫓겨 나올 때 이미 소멸되었어.

세종　　허나, 내가 당신을 잊을 수가 없습니다.

미실　　내겐 평생의 정인(情人) '사다함'이 있어.

세종　　내 그대를 잊지 못함에 이리 죽나보오.

지소태후　세종, 정신을 차리시게!

세종　　미실……. (죽음을 결심한다.)

미실　　아! 안 돼~ (사다함이 미실을 부르는 소리가 음향소리로 들린다. - "미실")
　　　　　 안 돼~ 사다함…….

사도왕후　태후, 열 달을 배 아파 낳은 자신의 아들이 죽어가는 모습을 보고만
　　　　　 있을겝니까? 세종을 보십시오, 세종을…….

지소태후　그만……. 미실을 불러 들이거라!

미실　　저는 죽어도 그리 못하옵니다. 이 한 목숨 죽더라도 사랑하는 정인을
　　　　　 떠나 궁으로 들라 하시는 태후마마의 명은 따르지 못하옵니다.

지소태후　내 너를 백 번 죽여도 분이 풀리지 않겠지만 입궁하라. 몸과 마음을
　　　　　 다해 세종을 모시도록 하라. 한 치의 부족함이라도 있을 시에는 네
　　　　　 목숨은 물론, 대원신통의 모든 혈족까지도 멸하리라.

지소의 명대로 미실은 궁으로 다시 입궁하게 된다. 그녀가 입궁할 때 사다함의 '청조가'가 들려온다. 미실, 사도 모습 보인다.

사다함   파랑새야, 파랑새야, 저 구름위의 파랑새야.

어찌하여 나의 콩밭에 머무는가?

이미 왔으면 가지나 말지?

또 다시 갈 것을 어찌하여 내게 왔는가?

부질없이 눈물짓게 하며

마음 아프고 여위어 죽게 하는가?

미실은 궁으로 입궁해 세종의 아이를 갖게 된다. 사도왕후는 미실의 건강이 걱정스러워 미실을 찾는다. 사도왕후는 대원의 세력을 확장시키고자 미실에게 다짐을 받으려 한다. 무대 중앙에 지소태후의 침소 모습과 미실의 방 모습이 보인다.

사도왕후   이제 점점 배가 불러오는구나!

미실   예, 이모님.

사도왕후   오늘은 어찌 그리 안색이 좋지 않으신가, 조카.

미실   아니옵니다. 괴의치 마시옵소서.

사도왕후   무슨 근심이라도 있으신가?

미실   (흐느껴 운다.)

사도왕후   얘기를 해보세요.

미실   사다함이 죽었다 하옵니다. (운다.)

사도왕후   울지 마시게······.

미실   하늘아래 살아있는 님의 얼굴을 다시 볼 수 없음이······. 흑흑

사도왕후   울어서는 아니되네, 미실! 복중의 아기씨에게 좋지 않음이야. 마음을

굳게 다잡으시게······.

미실 제가 어찌 사다함을 잊고 살 수 있겠습니까?

사도왕후 어찌 그러시는가? 복중에 아기씨가 듣고 노하겠네. 정인을 잊고 슬퍼
하는 자네의 마음을 모르는 것은 아니나, 자네가 왕자 아기씨를 출산
해야 지소 또한 우리 대원신통을 함부로 휘두르지 못할 걸세.

미실 저는 대원이고 진골이고 상관없습니다. 사다함을 다시 볼 수 없다는
것이······. 살아야할 이유를 모르겠습니다.

사도왕후 어떻게든 살아남아야 하네. 지금 우리는 대원의 씨를 낳아 세력을 확
산시켜야 하는 책임이 있지 않은가! 잊지 마시게!

미실 이모님! 하지만 이 슬픔을 어찌 감당합니까······. 흑흑.

사도왕후 지금 자네의 슬픔도 나의 이 수모도 다 지소태후의 계략 때문이야.
우리 대원신통이 다시금 부귀영화를 누리게 될 때, 이 슬픔도 수모도
모두 보상 받게 될 것이야. 그러니 자넨 왕자 아기씨만 출산하게. 뒷
일은 내가 다 알아서 할 것이야!

지소태후 (곤히 잠들어 있다가 신하의 소리에 깬다. 사도와 미실의 대화를 엿들은 하인에게서 그
녀들의 계략을 듣고 화가 난다.) 이런 요망한 것들!!!!!!!!!!!

지소태후의 뜻을 따르지 않고 숙명은 자신의 연인 이화랑과 함께 더 이상
궁 안에서의 생활을 할 수 없음을 확인하고 도주를 결심한다. 수탉1과 수탉
2는 손으로 움직일 수 있는 이화랑과 숙명의 대체 인형을 가지고 연기하며
이화랑과 숙명의 역할을 대신한다.

수탉2 (무대에 나오다가 입덧을 한다.) 이화랑······. 이제 저는 어찌하옵니까?

수탉1 숙명, 나약해져서는 아니 됩니다.

수탉2 무섭습니다.

수탉1 (다짐하며) 한번 살다가는 인생, 사랑하는 당신과 살 수 있다면 모든 것

을 버리고 떠날 겁니다.

수탉2　(기쁜 마음으로) 저 역시 당신과 함께라면…….

무대에 이화랑과 숙명의 대화가 오가는 동안 미실의 진통이 시작된다. 미실이 하종을 출산하는 모습과 더불어 세종과 옥진이 보이고, 지소태후와 사도왕후의 모습이 보인다. 북소리의 다양한 소리들이 미실의 출산의 고통과 하종의 탄생을 알려준다.

미실　(무명줄을 움켜쥐고 신음한다.) 윽…….

옥진　아가야, 있는 힘껏 밀어내야 하느니라.

수탉1　힘 줘! 힘 줘!

수탉2　그래 그렇게 힘을 주라니까. 아랫배에 힘을 잔뜩 주고 밀어내 봐!

옥진　곡도(穀道)를 활짝 열어 애기가 나올 길을 만들어 줘야 하는 게야.

수탉1　그렇지~

수탉2　잘하고 있어~

옥진　평생 잊지 못할 출산의 기쁨을 누리 거라!

수탉1　애기야~ 나와라.

수탉2　나와라. 나와라. 나와라.

세종　(초조해하며) 어찌되어 가는가?

수탉1　참을성을 갖고 좀 더 기다려 봐!

세종　미실은 어떠한가?

수탉2　괜찮아.

사도왕후　미실은 정인인 사다함의 아이를 갖고 싶었을 텐데…….

지소태후　미실이 세종의 아이를 출산한다 하더라도 진골이 아님을…….

미실　(신음한다.) 아악…….

세종	나의 미실이 저리 고통스러워하는데. 도대체 무엇들 하느냐?!
수탉2	서두른다고 애가 나오냐?!
사도왕후	기운을 내거라! 네가 낳은 그 아이가 대원의 힘이 될 것이니…….
지소태후	결단코 대원의 혈통이 왕위를 잇는 일은 없을 게야. 내가 그리 두지 않을 게야. 암……. 절대로…….
미실	(마지막 숨을 들이키며) 으윽…….
수탉1	코와 입으로 길고 풍만하게 호흡을 들이 마시고…….
수탉2	배꼽 아래로 쭉 밀어내!~~
수탉1	머리가 보인다. 보여~~~
수탉2	조금만!~~~ 그래!~~~
수탉1	나왔다. 꼬끼오~~~ (아이 울음소리)

세종은 아이를 지소태후에게 보이며 좋아한다. 지소태후는 대원의 씨앗인 새 생명이 달갑지 않다. 세종의 행복하고 환한 웃음이 보기 좋다. 이화랑과 숙명은 몰래 어수선한 틈을 타 궁 밖으로 도망가려 한다. (인형의 행동) 허나 그들의 도주는 발각이 되고 진흥제 앞에 끌려온 이화랑과 숙명은 진흥제 앞에 엎드려 벌벌 떨고 있다.

진흥제	(이화랑과 숙명을 바라본다. 진흥제 앞에 엎드려 벌벌 떨고 있다.) 이런 고약한 것들. 너희가 이 나라의 안위를 틈타 너희의 부정으로 공공연히 세상을 어지럽히고 왕권을 실추시키는 반역을 행하였으니, 내 너희를 엄히 문책하리라! 이들의 사지를 찢어발기고 흉흉한 산 속 나뭇가지에 걸어 날짐승의 먹이가 되게 하라!
지소태후	(진흥을 진정시키려한다.) 진흥, 동모제(同母弟)인 누이 숙명에게 그리 마시오. 이 애미의 청을 받자와, 제발 그리 마시오!
진흥제	무엇들 하느냐? 어서 저들을 끌어내라.

지소태후   그 손 놓으라!

진흥제   어서 끌어내라!! 내가 신라의 왕이니라!!

사도왕후   (진흥의 앞으로 뛰어나와 무릎을 꿇고) 그리 마옵소서. 진흥께서 노하셔서 그리 명하시면 아니 되옵니다. 숙명은 태후마마의 따님이시며 진흥의 누이이자 지어미이기도 합니다. 게다가 이화랑 또한 태후마마의 어린 애인이며. 마마와의 사이에 만호공주를 출생하였으니……. 이것은 곧 진흥의 아비라 할 수 있습니다.

지소태후   (발끈한다) 네 지금, 무엇을 고하느냐?

사도왕후   태후마마, 제 말씀은……. 숙명과 이화랑을…….

지소태후   (왕후의 말을 자르며) 이런 고얀 것이 있나? 네가 시어미인 내가 미쳐 죽는 꼴을 보고 싶은 게냐?

사도왕후   태후마마, 지금껏 어마마마와 진흥을 모심에 소홀함이 없었음을 어찌 몰라주신단 말입니까? 진흥의 정실임에도 불구하고 숙명과 진흥의 혼례에 발 벗고 나선 연유는 무릇, 주변 사람들이 지어미의 투기라 칭할까, 혹여 진흥에게 누가 되진 않을까 하는 저의 마음이었습니다. 그러니, 진흥. 지금껏 청매죽마(青梅竹馬)로 함께 한 이 동무의 말을 귀담아 주시옵소서.

지소태후   대체 무슨 꿍꿍이로 숙명과 이화랑을 감싸고 진흥 앞에서 거짓 눈물을 보이며 수를 쓰려 하느냐?

사도왕후   태후마마, 감히 제가 어찌 술수를 쓴다 하십니까? 숙명의 몸엔 이미 이화랑의 아기씨가 자리하였습니다. 저는 그 아기씨와 숙명의 목숨이 심히 염려스러워…….

지소태후   대원인 네가 진골인 숙명을 보하는 이유가 무엇이더냐? 어찌하여 견강부회(牽强附會)로 너의 안위를 도모하고자 한단 말이더냐? 네가 정녕 사특한 음모와 계책으로 나와 숙명을 멸하려 든단 말이냐?

사도왕후 저는 숙명과 이화랑의 목숨을 살려 보존하는 것이 진흥의 공덕이라 사료되옵니다.

지소태후 그래도 꼬박꼬박 시애미 말을 꼬리 잡아 읍소하다니. 내 이 가증스럽고 요망한 것을……

진흥제 그만 하십시오. 마마. 사도의 흐르는 눈물의 진실을 어찌 그리 곡해하십니까? (사도에게 다가가) 미안하구려. 내 항상 당신의 현명한 언행(言行)에 부끄러울 따름이오. 내 이제부터 당신 말에 귀 기울이니……. (이화랑과 숙명에게) 내 너희의 잘잘못을 심히 용서치 못함이 마땅하나, 진정코 사도의 눈물 어린 부탁으로 목숨만은 살려 줄 것이야. 살아 숨 쉬는 한 날, 한 날, 사도에게 감사하라. 모두들 들거라. 이제로부터 나의 왕권의 계승자였던 숙명의 아들 '정숙태자'를 폐하고 사도와 나의 첫 아들인 '동륜'을 세자로 책봉함을 명하노라. 그리고 숙명과 이화랑의 모든 재산과 관직을 몰수하고 이들을 궁 밖으로 내 치거라. 앞으로 내가 살아있는 한, 이 나라의 국모는 사도왕후 단 한 사람일 것이다.

사도왕후 (흙빛으로 변하는 지소 태후와 승리에 찬 사도왕후의 희비감(喜悲感)이 엇갈린다.) 이제부터 천하는 대원이 차지하리라. 내 미실의 아름다움과 지혜로움을 벗삼아 이 나라 신라를 대원신통으로 계승하리라.

조명 암전.

세월이 지나고 미실은 진흥을 유혹하여 그의 색공지신이 된다. 한바탕 무대 위에 진흥과 미실의 춤이 이뤄지고 사도왕후의 계략대로 진흥은 미실의 아름다움에 넋을 잃고 그녀의 품에 안긴다. 사도는 매우 만족스럽다.

사도왕후   내 지아비, 진흥의 색공지신이 되심을 감축 드립니다.

미실   황공하옵니다. 이모님!

사도왕후   이보게, 조카.

미실   (자신의 눈치를 살피는 사도를 바라보며) 말씀하십시오.

사도왕후   대원과 진골을 어찌 생각하는가?

미실   무슨 말씀이신지요?

사도왕후   이번에 숙명과 이화랑을 궁 밖으로 쫓아 낸 일에, 지소태후는 한을 품고 독기 어린 계획으로 우리 대원신통을 멸하려 하네. 물론, 자네와 나 역시 무사하지 못함이야. 이 나라 역사가 비록 진골에 의해 계승된다 한들, 지금 현재 왕후는 나일세! 지소태후 역시도 그것을 부정할 수는 없는 것…….

미실   그렇지요. 마마님.

사도왕후   허나, 내 맘이 이리도 불안한 것은 태후가 이대로 물러서지 않을 거라는 걸세. 세자인 동륜을 진골과 혼례를 시켜 왕권계승에 앞장설 것은 불 보듯 뻔한 사실인데……. (미실의 눈치를 살피며) 어찌하면 좋을꼬?

미실   마마님, 제가 어찌하오리까?

사도왕후   (미실에게 다가서며 은밀하게) 나를 도와주시게!

미실   어찌 말입니까?

사도왕후   나를 똑바로 바라보시게. 조카님이 나와 전생, 현생, 그리고 후생의 연으로 삼생(三生)을 맺고 날 돕는다면 내 조카님을 믿고 나의 계획을 솔직히 말하리다.

미실   제가 어찌 이모님을 거역하겠습니까?

사도왕후   태후를 막아야 함이야. 우리 대원을 살리고 우리가 살아가기 위해서라도 반드시 태후의 계획을 막아야 함일세.

미실   어찌 하실 생각이십니까?

사도왕후   지금 자네는 진흥의 색공지신이 아니던가? 진흥의 총애를 받아 대원
         세력이 점점 커져 가고는 있으나, 아직까지는 불안하기만 허네. 이보
         시게 조카! 내 아들 동륜을 유혹하여 그의 씨를 자네가 잉태하고 후
         사를 잇는다면 앞으로 대원의 시대가 올 것이야. 자네가 동륜의 색공
         지신이 되어주게나.

미실   하지만 세자께서는 아직 여인을 접하지도 못하였을 터⋯⋯.
         어찌 제가⋯⋯.

사도왕후   그러니, 자네가 세자의 왕성한 정기를 받아야 함이야. 자네는 내 어
         머니 옥진에게서 온갖 '방중술'과 '감탕법'을 배우지 않았는가? 조카
         님이 동륜을 감싸 안으면, 그리고 동륜이 제에 오르면, 게다가 자네
         가 동륜의 후사를 잇는다면, 태후 역시 더 이상 우리를 어찌 할 수
         없을 것이야.

미실   ⋯⋯.

사도왕후   어찌 할텐가?

미실   ⋯⋯.

사도왕후   이보게⋯⋯.

미실   저는 이모님의 뜻을 받자와 따르겠습니다. 정기가 왕성한 '동륜세자'
         를 제가 따뜻하고도 거칠게 품어 여인과의 합궁의 기쁨을 절대로 거
         역치 못하게 하여 마마님과 저를 섬김에 한 치의 실수 없이 거사를
         실현해 보겠습니다.

사도왕후   고마우이⋯⋯.

옥진   나의 딸 사도와 손녀 미실까지 자신들의 운명을 저리도 쉽게 권력의
         늪에 내팽개치다니⋯⋯. 업보로다!! (가슴을 치며) 어리석은 옥진아~

수탉들 단 뒤에서 이들을 지켜보다가 걸어 나온다.

수탉1   그렇게 착하던 사도가 진흥의 배신으로 눈이 뒤집혔구먼.

수탉2   미실은 어떻고?! 그렇게……. 사다함~~ 사다함~~~ 노래를 부르
         더니…….

수탉1   대원신통?? 대원짝퉁? 대원밥통인지 몰라도. 그것으로 인해 자신의
         권력을 확장시키기 위해 저렇게 악을 쓰는 거야!!

수탉2   우아~~ 여자들 진짜 무섭다……. 형! 저것들 봐!! 완전 우리 잡아
         먹을 것 같은데?

수탉1   에이~ 설마. 헉!!! 사도 눈은 찢어지고 미실 입도 찢어지고. 진짜 잡
         아먹겠다.

수탉2   형!!~~~~~~ 내 다리 봐. 이걸 어떻게 먹어!
         먹을 것도 없어!!

수탉1   그렇지?!

수탉2   그렇지!!!

지소태후와 세종, 그리고 무대 한 편에 미실의 모습이 보인다. 미실은 앞으
로의 미래를 예견이라도 하듯이 점괘를 보고 있다. 미실의 부탁으로 세종은
전쟁터에 나가야한다. 전장에 나가기 전 지소태후에게 하직인사를 드리려
찾아왔다.

세종   (칼을 들고) 이제 날이 밝으면 전장으로 떠나야 하는구나! (앉는다.)

지소태후 (옆에서 신하가 지소에게 옷을 입혀준다.) 진흥이 어찌 그 험한 전장으로 세
         종을 보내……. 내 유일한 낙이며 즐거움인 세종과의 사이를 이리
         떼어내다니…….

세종   나에게도 드디어 나라를 위해서 할 수 있는 일이 생겼으니…….

(미실이 준 정표를 꺼내 바라본다.)

지소태후 이 모든 것이 미실의 잔꾀일 것이고 진흥은 미실의 잔꾀에 놀아나고 있는 것이야.

세종 미실이 나의 지어미이긴 하나, 지금은 색공지신으로서 형님을 보필하며 나라를 위하여 애쓰고 있으니 이 또한 기쁜 일이 아닌가!

지소태후 허……. 게다가 이젠 세종의 목숨까지 담보로 삼고 있으니…….

세종 다만, 어머니를 홀로 두고 떠나는 것이 마음이 아프구나. 어머니!!! 진골이면 어떻고 대원이면 어떻습니까? 나라와 백성을 위하는 마음이면 될 것을……. 어찌 패를 가르고, 서로를 이간질 시켜 자신의 사리사욕만을 채우려 하십니까?

지소태후 세종!!!

세종 소자가 어리석고 또 어리석어 어머니의 깊은 뜻을 헤아리진 못하겠으나 전 이 나라를 지키러 떠날 것입니다. 그리고 꼭 승리할 것입니다. 부디 이 못난 아들을 용서하시고 권력이라는 허상에서 벗어나 남은 여생 편안하게 보내시기를 바랍니다. (절한다. 세종이 서있는 곳의 조명 암전된다.)

지소태후 나는 포기할 수가 없습니다. 내 기필코 진흥도 물리치고 미실과 사도 또한 쫓아내어 이 나라의 기상을 진골 전통으로 바로 세울 것입니다.

무대에 옥진은 자신의 업을 등에 가득 진 수행자마냥, 움직인다.

옥진 목숨보다 중한 정인의 사랑으로 제 목숨 아까운 줄 모르는 세종의 마음을 그 누가 책망할 수 있겠는가……. 세종의 운명 같은 사랑을 이용해 권력에 대한 허상을 쫓는 미실이 불쌍할 뿐……. 이 모든 것이 나의 우둔함에서 출발한 것임을 왜 이제야 깨닫는단 말인가?

조명 암전.

옥진의 말이 끝날 즈음 무대 곳곳에 지소태후, 사도왕후, 미실의 모습이 보인다. 옥진은 3명의 여인들이 욕망과 권력에 대한 탐욕으로 삶을 살아가는 것을 안타깝게 생각한다. 하지만 이승의 사람들인 그녀들은 옥진의 이야기가 들리지 않는다. 그들의 이야기는 마치 몽중설몽(夢中說夢)처럼 들려온다.

지소태후 옥진아……. 옥진아……. 내 아비를 유혹해 왕권을 빼앗고 대원신통을 이 나라의 혈통으로 삼으려는 사특한 너의 계략을 내가 모를 줄 알았더냐?

옥진 부질없음이야. 나는 색공지신으로 법흥을 뫼시고 받자왔을 뿐…….

지소태후 너의 섬김 뒤에 숨은, 권력에 대한 희망이 정녕 한 치도 없었다 말할 수 있겠는가?

미실 그것이 곧 태후의 모습이지.

옥진 부귀영화는 천세를 누릴 수 없음이야.

지소태후 네 년이 이제야 깨달음을 얻었구나! 이미 늦었느니라. 너의 딸 사도와 손녀 미실의 모습을 보아라.

미실 내 지소의 아들 세종의 총애와 이젠 진흥제의 색공지신으로서의 권세, 그리고 동륜 세자의 씨앗으로 이 나라의 왕위를 차지하리니…….

옥진 미실아! 내 너를 색공지신으로 훈육하였거늘……. 어찌 신하의 도리를 버리고 권력에 대한 욕심으로 너 자신을 멸하려 드느냐.

사도왕후 미실아, 넌 진흥 섬김에 몸과 마음을 다하여 이 나라의 중심이 되거라. 이 나라의 왕권을 나와 미실의 이름으로 계승하리니.

옥진 왕후가 되어 나의 자랑이었던 네가……. 바르고 온화하던 너의 심성은 어디가고. 어찌 일장춘몽 같은 권력에 빠져 헤어 나오질 못하는 게야.

사도왕후 내가 이 나라의 왕후이니라. 난 왕후로서 살아 갈 것이다! 내가 죽더라도 후세에는 내가 이 나라의 왕후로 기억될 것이란 말이다!

미실 나의 아름다움과 총명함. 그리고 보무당당(步武堂堂)함이 이 나라를 차지 할 것이니라. 그것이 곧 나의 운명인 것을……. 내가 익힌 모든 방중술과 지혜로 이 나라를 나와 사도의 손아귀에 넣을 것이니, 이 나라는 이제 대원신통의 것이 될 것이다. (신라의 권력을 다 차지한 듯, 만족스런 웃음으로 웃는다.)

지소태후 그만, 그만들 하거라. 천륜을 어긴다 해도, 내 너희를 그냥 두진 않을 터…….

옥진 지소야~ 지소야~

지소태후 너희의 간악함과 교활함과 욕정의 늪이 너희를 멸할 것이다.

사도왕후 나의 왕후로서의 고귀함과 정실로서 남편을 투기하지 않을 것이며…….

지소태후 너의 음모가 너를 옭아매고 너의 한평생 한으로 남을 것이야.

사도왕후 나는 미실과 삼생을 맺어 기필코 지소 너를 경계하고.

미실 나는 사도와 삼생을 맺어 이 나라를 차지하고.

지소태후 너희의 탐욕과 오만을 세상에 널리 알려 벌하게 하리라.

미실.사도 당신이 우리의 거울이니…….

지소태후 신라는 진골의 피로 계승될 것이다.

사도왕후 신라는 대원의 혈통으로 보존되리라.

미실 내 한 몸 다 바쳐 진흥을 품고 진평을 품고 진지를 품어서라도…….

사도왕후 신라는 반드시 대원의 피로 보존되리라.

지소태후 내가 그리 두지는 않으리라. 이 나라의 종묘사직을 진골의 혈통으로 반드시 지켜 내리라.

옥진 부질없음이야. 세상사 다 부질없음이야. (미실에게) 미실아. 어찌 너의

탐욕과 욕정으로 너 자신을 파괴한단 말이냐……. 사도의 달콤한 감
언이설(甘言利說)이 살고자 하는 나약함임을 어찌 모르고……. (사도에
게) 삼생의 연으로 구차하게 목숨을 연명하고자 했단 말이더냐? 내
너의 꼿꼿하던 심성을 믿었건만……. 이것이 일장춘몽(一場春夢)이
아니고 무엇이더냐? 세상의 부귀영화와 모든 권력 또한 꿈임을 어찌
모르고……. 이것이 정녕, 꿈(夢)이었으면…….

무대 가득 인물들의 실루엣이 보이면서 서서히 조명 꺼진다.

조명 암전.

공연 무대 스케치

2006년 공연 무대 사진

사도왕후 役 최송희, 옥진 役 최희진

지소태후 役 고가연, 미실 役 원애리, 세종 役 박영진

지소태후 役 고가연, 진흥제 役 김희철, 사도왕후 役 최송희

지소태후 役 박은희

지소태후 役 고가연, 진흥제 役 김희철, 사도왕후 役 최송희, 수탉1/2 役 최운학/최지훈

2006년 공연 포스터

최진태 살인사건

▍공연 연보

● 2007년 6월 5일 ~ 10일   서울 대학로 우석 레파토리 극장

▍줄거리

살인사건이 일어난다. 저명한 대학교수인 최진태가 자신의 집안 거실에서 살해된 것이다. 현장에서 잡혀온 김철규와 김선규 형제는 서로 자신이 범인이라고 주장하고 수사에 진전이 없게 되자 강력계의 해결사인 곽민찬 형사가 개입하게 된다. 그의 신문 과정에서 밝혀지는 등장인물들의 각기 다른 진술과 입장에서 바라본 살인자는 과연 누구인가? 참고인까지 소환되고 사건은 계속 미궁 속으로 빠져 원점으로 되돌아간다. 갖가지 진술과 수사 과정 속 마무리되는 수사에서 결국 범인은 밝혀지려는데……

▍연출 의도

사랑은 없다! 아니! 사랑은 있다!

사랑! 그 찬란하고 슬픈 기억~
20대의 아름답고 가슴 시렸던 사랑.
이젠 추억의 잔재로 내 가슴 한 켠에 기억되어 있다.
일상의 생활을 살아가는 내 모습이 가끔 빈 껍데기처럼 느껴진다.
하지만 난 매일같이 일상에서의 의미를 부여하며 치열하게 살고 있다.

최진태 살인사건의 진짜 범인은 누구일까?
'소통'되지 않는 삶의 모습 속에 그들은 자신의 진실을 알지 못하고 있다.
우리는 삶 속에서 과연 진실로 소통하고 있는 것일까?
〈최진태 살인사건〉은 소통의 부재에서 비롯된
사람들의 왜곡된 진실과 거짓, 오해와 희망, 환상과 편견, 위선과 도피들이

한 인간을 죽음으로 몰아간 우리들의 이야기이다.

우리 마음속에 숨은 또 다른 나의 모습이
매일같이 누군가를 죽이며 살고 있는 건 아닐까?
완벽한 사랑을 꿈꾸고 원하며 살아가는 우리의 일상들은
과연 어디까지가 진실의 모습일까?
삶은 일상을 살아가는 우리에게 선택을 강요한다.
우린 선택의 시대에 살고 있는 지친 영혼들이다.
사랑! 너무나 찬란한 슬픔이다!

▌등장인물

김철규	경희의 남편, 선규의 형
김선규	당뇨병 환자, 철규의 동생
최진태	서영의 남편
강서영	진태의 아내
강수인	서영의 사촌 동생
곽민찬	형사
이유해	여형사
윤경희	철규의 아내

1 __ 살인 현장

무대 멘트가 끝나고 조명이 꺼지면 철규, 후레쉬를 켜고 집안으로 들어온다. 이리저리 살피는 철규. 선규 뒤따라 들어온다.

선규 형!

철규 이 새끼! 너 왜 들어왔어?

선규 형. 아무리 생각해도 이건 아니야.

철규 너 형 성격 몰라? 형은 한번 한다면 하는 놈이야. 그러니까 제발 나
가라.

선규 형 안 나가면 나도 안 나가.

철규 너 이 새끼! 네 마음대로 해!

철규가 앞질러 가고 선규는 더듬더듬 철규를 붙잡고 간다. 서영이 등장하며
불을 켠다.

서영 누구세요? ……. 수인이니? 얘는 오면 온다고 전화라도 하지~~

철규와 선규는 갑작스런 서영의 출연에 놀란다. 서영을 위협하며…….

서영	(놀라며) ……. 누구세요?
철규	(같이 놀라며) 쉿! 조용히 해. 선규야! 임마!
서영	(돌아선 선규를 알아본다.) 선규씨?
철규	뭐야? 너 아는 사이야?
서영	(안방을 흘끔 거리며) 여기서 뭐하는 거예요? 남편 나오기 전에 어서 나가요.

최진태, 휠체어를 타고 거실로 등장한다. 그는 사고로 하반신 마비로 다리를 움직이지 못한다.

진태	누구 왔어? (철규, 서영을 위협한다. 진태는 놀라 철규를 진정시키고 철규는 돈을 가져오라고 한다. 빈틈을 노려 선규는 철규의 칼을 뺏어 든다. 진태는 선규를 발견한다.) 김선규씨? 이젠 집까지 불러들이는 사이인가?
서영	(놀라 당황하며) 당신들 경찰에 신고하기 전에 어서 나가요!
진태	이렇게 한자리에 모이기도 어려울 텐데 뭘 그리 빨리 보내려고 하나?
서영	그게 무슨 말이에요?
진태	오랜만의 해후라 미련도 남을 텐데…….
선규	형. 나가자!
진태	김선규씨! 비겁하게 도망 갈 겁니까?
서영	당신 정말 왜 이래! (수인 등장) 당신들 어서 나가요! (수인을 발견하며 부탁하며) 수인아, 이 사람들 좀 내보내!
진태	가만있어! 당신은 쉽게 볼 수 있는 사람일지 모르겠지만 난 아니니까. (다가서는 서영을 밀어낸다.)

선규   서영씨! 그 여자한테 손대지 말아요. (진태에게 달려들어 멱살을 움켜쥔다.)

조명 암전.

2 __ 경찰서

무대에 조명이 들어오기 전 책상 위에 걸터앉은 곽민찬의 볼펜 움직이는 소리가 들린다. 조명이 켜지면서 민찬은 자료를 검토하고 있고 유해, 잠시 후 등장한다.

유해   (민찬에게 경례하며) 대한민국 민주 경찰 이유해!

민찬   수사진행. 어디까지 된 거야?

유해   용의자는 현장에서 체포 돼서 구금중이구요, 부검결과는 아직 안 나온 상탭니다. 담당검사는 대질 심문 후딱 마치고 빨리 입건하자고 야단인데요. 이거 뭐 서로 자기가 죽였다고 난리를 부리는 통에……

민찬   서로 죽였다고?

유해   예. 용의자가 형젠데, 한 놈은 자기가 죽였다고 으름장이고. 또 한 놈은 자기가 죽인 것 같다면서……

민찬   (말을 자르며) 뒤로 돌아! 앞으로 가! 정지! 뒤로 돌아! 거기서 얘기해라. 시끄러워서 원……. (사이) 국과수는?

유해   거기는 아직…….

민찬   자료 제때 넘기긴 한 거야?

유해   …….

민찬   (어느 정도 사건 서류를 읽어보다가) 근데 무슨 진술이 이래? 조서를 받으려면 알아 볼 수 있게 차근차근 순서대로 해야 할 것 아냐! 수사의 기본은!

유해	진술의 정확한 문서화!
민찬	아는 놈이!
	(한참 째려보다가) 용의자는 김철규, 김선규, 둘이야?
유해	지금까진 그렇게 추측하고 있습니다만…….
민찬	근데 이건 뭐야? 용의자 김철규랑 김선규는 형제고, 또 그 형제랑 강수인이 고아원 동기고……. 피해자 아내인 강서영은 강수인의 사촌 누나고……. 제기럴, 뭐 이래? (뒤돌아있는 유해 보며) 나 지금 얘기하잖아! 내가 말할 때는 날 보란 말이야! (눈살을 찌푸리며) 그리고 사건발생하고 이틀이 지났는데 목격자 진술도 안 받았냐? 너 어째 하는 일이……. 아니다, 범죄 현장에 있던 사람들 싹 다 소환해!

조명 암전.

3 __ 구치소 앞

스산한 바람소리가 들리고 철컹하는 문 열리는 소리와 함께 철규가 등장하며 조명이 밝아진다. 철규는 누군가를 기다리는 눈치다. 주변 사람들이 만나는 것을 확인하면서 철규 혼잣말을 지껄이다가 집에 가려고 움직인다. 경희, 철규 대사 할 즈음 나와 철규를 살핀다.

철규	(시계를 보며) 나오지 말라고 했더니 진짜 안 나왔네!
경희	(철규를 발견하고 목소리를 깔면서) 김철규씨.
철규	(경희를 보고 반기며) 경희야!
경희	여보! (철규와 경희는 끌어안으며 웃는다.)
경희	(뱃속 아이가 생각나) 아, 소망이! 여보 소망이.
철규	(떨어지며) 아, 소망이……. 아이고, 아빠가 미안하다. 그러니까 나오

지 말라니까.

경희　내가 안 나오면?

철규　우리 마누라가 최고다.

경희　왜 이래! 사람들 보는데…….

철규　보라고 그래! 내 마누라 내가 만진다는데 누가 뭐라 그래? 아저씨!
　　　이상하게 보지 마요~ 내 마누라예요!

경희　(철규 얼굴을 보고) 어! 얼굴이 이게 뭐야? 출소하는 거 티내는 것도 아
　　　니고. 어유, 속상해!

철규　너한테 정말 면목이 없다. 에이 씨발. 나란 인간……. 경희야~ 경희
　　　야?

경희　(포옹 밀치며) 왜 이래!! 에이 정말…….

철규　그동안 고생 많았지? 이제 아무 걱정 하지 마. 오빠가 너 그동안 고
　　　생시킨 거 몇 배로 갚아 줄 거야! 진짜야.

경희　아픈 덴 없어?

철규　나, 김철규야. 이 세상에서 제일 건강한 남자. 김철규!

경희　두부나 먹으세요. (두부 꺼낸다.)

철규　아, 두부! 내가 너를 다시 보면 사람이 아니다.

경희　천천히 먹어. (음료수를 건네주며) 자, 물……. (두부를 열심히 먹는 철규를 보
　　　다가) 으이구, 이제 정신 바짝 차려야 돼! 우리 애가 둘이야!! 알았지?

철규　알았어. 아유~ 소망아. 엄마한테 아빠가 정신 차렸다고 좀 전해라.
　　　그리고 아빠만 믿고 얼른 나와라! 하하하하, 어? 주혁이는?

경희　사모님이 당신 만나러 간다니까 오늘 맡아주신다고 하시더라고. 우
　　　리 사모님 좋은 분이지? 오빠! 난 사는데 별 욕심 없어. 지금 이대로
　　　도 충분히 행복해. 오빠랑 애들만 있으면 돼. 알았지?

철규	알았다. 자기야, 우리 맛있는 거 먹으러 갈까?
경희	갈비 먹자.
철규	갈비 좋지. 가자. (퇴장)

4 __ 서영의 집 거실

서영은 술잔을 들고 철규와 경희 대사 중간쯤 나온다. 조명이 엇갈리면서
무대공간이 바뀐다. 경희 일을 하고 있다. 서영은 술을 마시고 있고 진태는
휠체어를 밀며 들어온다.

서영	(진태의 등장에 놀라며) 늦게 오신다더니…….
진태	그렇게 됐어. (술 마시는 서영을 바라보다가) 당신 술 마시는 거야?
서영	…….
진태	많이 마신 것 같은데 그만 마시지?
서영	네…….
진태	(자신의 서재 쪽으로 들어가다가) 내일 부산 세미나 가려면 일찍 출발해야 하니까 1박 2일로 다녀올 가방 당신이 좀 챙겨놔!
서영	(휠체어를 밀어주러 진태 쪽으로 가며) 알았어요.
진태	따라들어 올 필요 없어. 늦게까지 세미나 준비해야하니까 당신 먼저 자. (서재로 들어간다.)
서영	(한동안 서재 쪽을 멍하니 바라보다 다시 자리로 돌아가 술을 마신다.)

수인 급하게 들어오며

수인	(숨이 거칠다. 벽에 기대있는 서영을 발견하고는) 누나!
서영	어, 수인아!

수인	(서영에게 다가가며) 얼마나 마신 거야?
서영	네가 걱정하지 않을 만큼…….
수인	(잔을 비우려는 서영의 잔을 빼앗으며) 그만 마셔. 도대체 언제까지 술에 의존할 건데?
서영	그래. 난 술 마셔. 이렇게 혼자 술 마신지 오래야. 왜 난 혼자 술을 마실까? (생각해본다.) 모르겠어. (웃음) 수인아, 살다보면 답을 알 수 없을 때가 있어. 답을 알 수 없을 땐 모르는 거야. 아무리 아무리 알려고 애쓰고 고민해도 알 수 없는 건 알 수가 없다구…….
수인	누나…….
서영	나, 아이 갖고 싶어. 진태씨는 교통사고 후, 날 더 피하는 것 같아.
수인	매형이 잠시 힘들어서 그러겠지.
서영	우린 완벽한 가정을 이루며 살 수 있을 거라고 생각했는데…….
수인	완벽한 가정? 그건 현실에선 불가능해.
서영	불가능하다고? 그래도 서로 의지하고 노력하는 게 부부 아니니? 그런데 난, 너무 외롭다. 외로울 때 항상 혼자라는 게 너무 싫어.
수인	왜 누나가 혼자야? 누나가 힘들고 외로울 때마다 항상 내가 옆에 있잖아.
서영	고마워.
수인	힘내! (수인, 서영을 안아준다.)
진태	어, 왔어!
수인	매형.
진태	모처럼 온 것 같은데 내일 세미나가 있어서…….
수인	예, 괜찮아요.
진태	미안하군. 놀다 가.

| 수인 | 아뇨! 누나 얼굴 봤으니까 그만 가 볼게요. 누나 갈게. |

조명 암전.

5 __ 허름한 포장마차

철규. 혼자 포장마차에서 술상을 옮기면서 주절거린다. 의자까지 배치하면서 자리에 앉아 계속 소주를 마신다. 수인을 기다리고 있다. 수인 등장.

수인	철규야.
철규	야, 강수인? 와 이 새끼 때깔 봐라.
수인	자식 여전하구나. 앉자. (자리에 가서 앉으며) 많이 기다렸어?
철규	너 기다리는 동안 나 벌써 한 병 마셨다. 그러니까 일단 마셔라!
	(술을 따른다.)
수인	반갑다. (한잔 마시고) 고생 많았지?
철규	고생은 무슨? 한두 번 갔다 온 것도 아닌데…….
수인	주혁이는 잘 커?
철규	그럼. 야. 고 새끼가 날 닮아가지고 한 인물 하잖냐? 하하하. 놀이방에서 여자애들이 주혁이랑 짝꿍 한번 해 볼라고 난리랜다. 난리! 햐~ 예쁜 내 새끼.
수인	참나. 누가 지 자식 아니랄까봐…….
철규	아, 수인아 이거. 지난 번 네가 빌려준 보증금 잘 썼다. 경희가 나 없는 동안에도 적금까지 부었더라.
수인	야 너 둘째 낳으면 돈 쓸 일 많을텐데, 친구 좋다는 게 뭐냐! (봉투를 철규 앞에 두며) 다음에 줘!

철규 (손사래를 치며 봉투를 수인 쪽) 아냐, 임마! 너한테 꼭 갚아야 한다구 경희가 신신당부하더라. 이거 다시 들고 들어갔다간 나 뼈도 못 추려. (철규, 수인의 주머니에 억지로 봉투를 넣어준다.) 너 경희 성격 몰라? 나 맞아죽는 꼴 보고 싶지 않으면 넣어둬라.

수인 (사이) 행복하냐?

철규 그래. 이제야 사람 사는 것 같다. 솔직히 거기가 사람 살 데냐? 다시는 나 감옥에 안 갈 거다. 우리 소망이 이름 걸고 노력해서 좋은 아빠 될 거다. 이제 자리 잡고 취직만 하면 다시 새롭게 살 수 있을 거야.

수인 취직? 잘됐네. 너 나랑 같이 일하자.

철규 뭐?

수인 우리 공사현장에 일손이 필요한데 네가 좀 도와줘.

철규 야~ 나야 완전 땡큐지~ 이자식! 고아원 시절에 코만 질질 흘리고 다니더니, 이렇게 취직해서 친구도 도와주고……. 고맙다. 정말!

수인 (웃는다.) 고맙긴 (사이) 난 네가 부럽다.

철규 그게 뭔 소리냐?

수인 결혼도 했지. 떡두꺼비 같은 아들도 있지. 곧 둘째도 낳지.

철규 지랄하네. 우리 경희가 지하 단칸방에서 주혁이랑 악착같이 산 거 생각하면……. 에이 씨발. (담배를 물며) 내가 못난 놈이지. (분위기를 바꾸며) 그래도 뭐가 좋은지, 경희는 나만 보면 웃는다.

수인 사랑하는 사람이랑 같이 사니까 좋아서 그런 거지!

철규 벌써 같이 산지가 5년이다, 5년. 그러면 뭐하냐? 모아 논 돈이 있나 번듯한 집이 있나. 애 새끼는 까질러놨는데 애비는 빵에 처박혀 있었지. 이젠 정말 우리 네 식구 고생 안 시키고 싶다.

수인	그래! 이제 정신 차리고 콩밥 좀 그만 먹어. 참, 선규는?
철규	오늘 바빠서 좀 늦는데. 불쌍한 새끼. 돈 없는 것도 서러운데 몸까지 안 좋단다.
수인	어디가 아픈데?
철규	당뇨.
수인	병원은 다녀?
철규	의사새끼들 하는 말 다 똑같지. "에……. 뭐 꾸준히 치료만 받으면 완치는 가능합니다." 씨발. 말이 좋아 완치지…….
수인	(분위기 바꾸려는 듯. 술잔을 들고) 철규야, 마셔라.
철규	야. 그나저나 넌 결혼 안 하냐?
수인	결혼은 혼자 하냐?
철규	어유, 이 능구렁이 같은 새끼. 주위에 여자들 많잖아. 혹시 숨겨 논 애라도 있는 거 아냐?
수인	(피식 웃는다.) 그래. 애가 한 트럭이다. (같이 웃는다. 선규 등장)
선규	형!
철규	(담배 끄며) 야! 임마! 너 지금 몇 시야?
선규	미안해 형. 오늘 배달이 좀 많았어.
철규	시끄럽고. 우리 형제고 나발이고 연 끊자. 연 끊어!
선규	아, 형! 그런 말이 어딨어. 원래 우리 일이 정신없잖아. (수인을 보고) 수인이 형, 오래간만이네요?
수인	(선규를 유심히 지켜보고 있다.) 이야. 이게 얼마 만이냐? 이야, 못 본 사이에 신수가 훤해졌다. (철규에게) 그치?
철규	(선규를 보고) 내가 볼 땐 똑같구만. 뭐.
선규	(애교를 부리며) 아~ 미안해 형~

철규   어쨌든 우리 동생 얼굴 보니까 기분은 좋다!

선규   형, 형수님 몸은 좀 어떠셔? 아, 그러고 보니 주혁이 못 본지도 오래 됐네.

철규   형이 형 노릇을 못하니 그렇지 뭐……. 미안하다…….

수인   (철규에게 술을 따라주며) 야. 술이나 마셔! (분위기를 전환하려는 듯 선규에게도 술을 따르며) 자, 너도 한잔 받아라.

선규   형……. 저 술 마시면 안돼요.

철규   그냥 받기만 해.

수인   선규는 애인 없니? 이제 결혼할 때가 됐지.

선규   (쑥스러운 듯) 형도 참…….

수인   이참에 여자 소개시켜줄까?

철규   어 그거 좋겠다! 야. 수인아. 이 새끼는 다른 거 다 필요 없어. 가슴만 크면 돼!

수인   가슴? 있지 가슴 큰 여자! 어때? 내일 시간 있어?

선규   (말없이 술을 만진다.) …….

수인   너 여자 있구나!

선규   (당황스러운 듯 얼굴이 달아오른다.) 아, 아니에요.

철규   아닌 게 아닌데. 야, 어떤 여자냐?

선규   아이, 왜 그래~

철규   어허~~ 형이 물어보는데 대답을 안 해? (목덜미 잡고) 야. 누구야? 가 슴 크냐? 이 새끼 가슴 크구나.

수인   너 왜 말을 못하냐? 혹시 유부녀? (술을 마신다.)

철규   에이 새끼 말을 해도. 야, 빨리 얘기해. 누구야? 맞고 얘기 할래 그냥 얘기 할래? (선규에게 장난을 친다. 선규, 철규의 두 팔을 잡고 장난으로 반격을 하는데) 앗!

선규 왜 그래? 형. 괜찮아?

철규 나 오줌마려. 나 화장실 좀……. 갔다 올게~

서로 한바탕 웃는다. 철규 급히 화장실로 나가려고 일어서 무대 반대편으로 나간다. 선규와 수인이는 다음 장면의 취조실이 시작되면서 조명이 바뀌면 자연스레 자신의 취조실 방 공간으로 이동한다. 조명 암전 없이 다음 장면으로 진행한다.

6 __ 취조실 1

민찬과 유해는 술을 마시는 남자들을 바라보며 등장해 있다가 화장실로 가는 철규를 불러 세운다. 남자들이 술을 마시던 포장마차는 자연스레 취조실로 변한다.

■ 1호실 _ 김철규 방

민찬 김철규. 지금 장난 하냐? 내가 지금 니 자서전 쓸라고 여기 앉아 있는 거야? 묻는 말엔 대답 안하고 자꾸 딴소리 할래? 그 집에 무슨 목적으로 들어갔냐니깐 니들끼리 소주마신 얘긴 왜 하는 거야?

철규 있었던 일을 얘기 하다라면서요!

민찬 (버럭) 이 형사! (과도하게 빠른 걸음걸이로 등장, 유해 옆에 선다.) 어제 하루 종일 이 얘기 듣고 있었냐?

유해 (고개를 푹 숙이고 아무 말이 없다.)

민찬 너 낙하산 티 너무 난다. 박 검사가 감싸주는 것도 한계가 있는 거야. 이 꼴로 진행을 하니까 나까지 덤탱이로 시말서 쓰는 일이 생기는 거 아냐! 제발 좀 잘 하자, 응?

유해	네, 저는 모든 내용을 알아야한다고 생각해서…….
민찬	(유해에게) 또 말대꾸!! 자! 김철규! 다시 하자~ 그날 그 집엔 왜 간 거야?
철규	돈이 필요했습니다. 아들 병원비 때문에…….
민찬	그래서.
철규	그 집이 비어있는 줄 알고 들어갔는데 집안에 사람들이 있었고…….
민찬	그래서 우발적으로 찔러 죽였다!
철규	예.
민찬	(의심스럽다는 듯 철규를 쳐다본다) …….
철규	아, 씨발 형사님 제가 몇 번을 얘기 합니까? 제가 죽였다고요. 아니 범인이 자수하겠다는데 몇 번을 반복해서 말하게 하는 거냐구요.
민찬	좋아. 좋아, 다 좋은데 네 동생도 지가 죽였대! 김선규! 니들 무슨 형제애라도 발휘하겠다 이거냐?
철규	무슨 소리예요. 제가 죽였다니까요, 미친 새끼…….
민찬	아,. 열 받아.
유해	(김철규 뒤통수를 치며) 용의자 김철규!
철규	이런 제기랄!
민찬	앉아! (철규 앉는다.)
유해	(다시 돌아서서) 계속 똑같은 말을 하고……. 보세요, 이러니 저도 그렇게 밖에 정리를 못했죠!
민찬	(유해 째려보며) ……. 김선규도 똑같은 말 할 테고……. 강수인이는 어딨어?
유해	3호실에요.
민찬	내가 부탁한 자료, 찾아왔어?

| 유해 | 아뇨. 아직……. |
| 민찬 | 넌 대체 제대로 하는 게 뭐야? 빨리 찾아봐! |

■ 3호실 _ 강수인 방

민찬	강수인.
수인	네.
민찬	나 지금 머리가 너무 아프거든.
수인	네.
민찬	빨리 끝내자. (서류를 보며) 넌 김철규랑 친구고…….
수인	네.
민찬	김선규는 김철규 동생이니까 당연히 잘 알 거고…….
수인	네.
민찬	세 사람 다 같은 고아원 출신이네?
수인	네.
민찬	(서류를 덮으며) 누가 매형을 죽였을 거 같나?
수인	네?
민찬	"네"밖에 할 말이 없어? 누가 죽였을 거 같냐고?
수인	…….
민찬	지금 김철규랑 김선규는 서로 자기가 죽였다고 하고 있어. 어떻게 생각해?
수인	철규는 좀 거칠고 욱 하는 성격은 있지만 누굴 죽일 사람은 못 됩니다. 선규 역시 워낙 착해서 나쁜 짓도 모르고 살아온 애구요.
민찬	둘 다 살인을 저지를 친구가 아니다~ 그럼 네가 죽였어? 아님 강서영이? 고아원에서 오래전부터 알고 지낸 사이라 도와주려고 하나본

	데 그럼 너랑 강서영이가 불리해져. 그런 건 생각 안 하나?
수인	전 제가 아는 사실을 진술 한 거고 그날 제가 갔을 땐…….
민찬	그 얘긴 진술서에 다 적은 얘기잖아. 매형이랑 누나가 부부동반 모임에 가기로 했는데 취소됐고, 김선규의 전화를 받자마자 누나 집으로 달려갔는데 이미 일이 벌어져 있더라…….
수인	네.
민찬	그리곤 불이 꺼졌고, 불이 들어 왔을 땐 최진태가 죽어있었다. 그거 아냐!
수인	네. 맞습니다.
민찬	어휴, 진짜! (유해 들어오며)
유해	선배님!
민찬	왜!
유해	저기……. (사진을 보여준다.)
민찬	김선규 어딨어?
유해	2호실에요.
민찬	강수인. 잘 생각해, 위증도 범죄야! (나간다.)

■ 2호실 _ 김선규 방

민찬	선규야.
선규	(화들짝 놀라며) 네?
민찬	자, 우리 서로 피곤하게 하지 말고 후딱 끝내자! 그 집에 왜 들어갔어?
선규	그게…….
민찬	너도 돈이 필요했어?

선규	아뇨.
민찬	돈을 훔치러 들어간 게 아니면 강서영이라도 만나러 간 건가?
선규	네?
민찬	왜 그렇게 놀라지?
선규	…….
민찬	강서영이 몰라?
선규	택배 배달하다 몇 번 본 적이 있습니다.
민찬	몇 번 본 적이 있다……. (선규의 앞에 사진을 내던진다.) 이제 기억이 나나? 김선규! 고상한 데로만 배달을 다니시네. 어? 궁금하지? 이게 다 어디서 났을까? (선규 말이 없다.) 최진태 PC에서 나온 거야. 최진태가 당신들 사이 다 알고 있었다구. 그러니까 얘기하기 싫으면 하지마. 이 형사! 강서영이 어딨어?

7 __ 모텔, 서영과 선규의 장소

음향이 나오면서 선규는 자연스레 모텔 계단 쪽으로 이동한다. 잠시 후 서영 나온다.

서영	무슨 생각을 그렇게 골똘히 해?
선규	미안해요.
서영	뭐가 미안해?
선규	더 잘 하고 싶었는데……. 나 바보 같죠?
서영	선규씨! 난 선규씨가 날 바라봐 주는 게 좋아. 날 바라봐 주는 것도 좋고 내 얘기도 잘 들어 주고 날 안아주고…….
선규	(만족스럽다. 행복하다.) 사랑해요. (핸드폰 알람이 울린다. 선규는 재빨리 알람을 끄

고 당황해하며 머뭇거린다.)

서영 (그런 선규를 안쓰럽게 바라보며) 주사 맞을 시간이구나?

선규 (머뭇거리며) 아니에요. 나중에 맞으면 돼요.

서영 인슐린 주사……. 그거 시간 맞춰서 맞아야 되는 거잖아.

선규 이렇게 아픈 모습 보여주기 싫었는데……. 맨날, 시간 맞춰 인슐린 주사 맞는 거 괜시리 화도 나고, 서영씬 이런 내 모습 싫지 않아요?

서영 아니~

선규 저요, 당뇨병에 합병증까지 생겨 사는 게 너무 힘들었어요. 그냥 내가 산다는 거 잘 모르겠더라구요! 하루하루가 나한텐 절망였다구요. 그런데, 나 이제 누구보다 건강하게 살고 싶어요. 서영씨랑 함께라면 다른 사람들처럼 행복하게 살 수 있을 거 같아요.

서영 살아야 할 이유를 안다는 거……. (화제를 바꾸며) 우리 토요일에 등산 갈까?

선규 좋아요! 서영씨랑 같이 운동하면 나도 금방 좋아질 거예요! (웃는다.)

8 __ 독백

앞 장면의 서영과 선규의 장면이 음악과 더불어 서서히 암전되면 다른 등장 인물들이 무대에 보인다. 음악이 흐르면서 진태, 서영, 철규, 수인, 선규의 모습이 조명 TOP(크로스조명) 안에 보인다. 그들은 각각 다른 장소와 시간 속에 혼자만의 모습으로 존재한다.

진태 예? 제가 아이를 낳을 수 없다구요?

서영 제가 임신 8주라구요? 감사합니다.

철규 뭐요? 그러니까 우리 아이가 수술을 받아야 한다구요?

선규	서영씨, 보고 싶어요······.
수인	너는 오늘도 술을 마시고 있었어. 난 아무 것도 할 수가 없구나. 미안해.
서영	여보, 나 임신 8주래요!
진태	······.
철규	무슨 개떡 같은 소리야?
선규	그녀와 저······. 우린 서로 많이 사랑하고 있어요.
수인	잠이 오질 않는다. 미치도록 네가 보고 싶다. 널 소유하고 싶어.
서영	아가야. 엄마 노력할게!
진태	임신······. 확실한 거야?
선규	그녀를 만나 난생처음 행복이란 걸 느꼈습니다.
철규	씨발, 나 당신 말 못 믿어. 다른 의사 불러와. 불러오라고!
수인	왜 혼자라고 생각 하는 거니? 니 곁엔 내가 있는데······.
서영	나 드디어 엄마가 되는 거야!
선규	그녀는 막 피어난 목련처럼 화사하게 제 인생에 봄을 선물해 주었습니다.
철규	왜 우리 아이야? 이제야 맘 고쳐먹고 살만하니까 왜 우리 착한 아들이냐구.
수인	난 그 누구와도 널 나눠가지고 싶지 않아. 절대로······.
진태	임신이라고? 어떻게? 난 아이를 가질 수가 없는데 어떻게 임신이지?
서영	당신, 나, 그리고 뱃속 우리 아이······. 여보, 우리 이제 진정한 가족이 되는 거야! 당신이 원했던 것처럼 완전한 가족이······.

조명 암전.

9 __ 서영과 진태의 집, 진실

서영은 아기의 산모수첩에 있는 초음파 사진을 보며 흐뭇해하고 있다. 피곤한 모습으로 진태 등장.

서영 (진태를 반기며) 여보! 나 임신이래. 이게 뭔지 알아요? 초음파 사진이에요. 믿어져요? 새 생명이 여기서 자라고 있다는 게! (행복하다.)

진태 그만해, 나 일해야 돼.

서영 지금 일이 중요해요? 여보! 병원에 가서 사람들이랑 얘기를 해보니까⋯⋯.

진태 (말을 자르며) 그만해! 그만하라니까.

서영 당신 왜 이래? 나 지금 우리 얘기 하는 거야. 우리 아이 얘길 하는 거라구요!

진태 우리⋯⋯ 아이? 당신 지금 우리 아이라고 했나?

서영 그래요!

진태 우리 아이⋯⋯. 날 더 이상 기만하지 마.

서영 그게 무슨 소리예요?

진태 아니야. 그만하지.

서영 말해요! 당신 지금 이상해요. 그토록 바라던 아이가 생겼는데 당신 왜 기뻐하지 않는 거야?

진태 당신 아이 가진 걸 내가 기뻐해야하나?

서영 여보, 그게 무슨 말예요?

진태 서영아⋯⋯. 제발 날 시험하려 들지 말고. 너한테서 냄새가 나. 썩고 문드러진 위선의 냄새가 난다구⋯⋯.

서영 무슨 소리예요?

진태	내가 언제까지 모를 거라고 생각했어? 휠체어 타고 당신 수발 받으며 지내니까 내가 우스워 보였나? 그런 거야?
서영	당신 왜 그래? 그래요. 피곤한 거 같으니까 들어가서 쉬어요.
진태	김선규! 처음 듣는 이름은 아니겠지?
서영	…….
진태	지난 네 달 동안 당신을 그렇게 행복하게 만들어 줬던 이름인데, 어때? 들으니까 설레여?
서영	당신……. 당신이 어떻게……. (사이) 그래 인정해요. 하지만…….
진태	뭘? 당신이 음탕한 여자란 걸? 아니면 당신 뱃속의 그 아이가 당신만의 아이란 걸? 도대체 뭘 인정 한다는 거야?
서영	외로웠어. 미안해. 잘못된 행동이란 거 알아. 하지만 이젠 다 끝난 사이라고. 근데 여보, 이 아이만큼은 그 사람이랑 아무 상관없어! 우리 아이라구!
진태	아니야 서영아! 아니야! 아니야! 우리 아이가 아니라구!
서영	아냐 여보. 미안해 정말 미안해. 내가 잠시 정신이 나갔었어. (진태 응시하며) 여보……. 날 똑바로 봐! 이 아인 정말 우리 아이야. 당신은 아빠가 되는 거고 난 엄마가 되는 거야.
진태	(중얼대듯) 무정자야. 나……. 무정자야.
서영	(아무 말 없이 눈을 마주치다가) 뭐?
진태	(정신을 차리며) 못 들었어? 나 무정자라구! 남들 다 갖고 있는 정자란 걸 난 가지고 있질 않다구!
서영	…….
진태	나……. 불구야! 아이를 갖고 싶어도 내 아이를 가질 수 없는 불구라고! (놀라 멍하니 서 있는 서영을 바라보며) 아이를 가질 수 없어서 힘들어하

는 나한테 미안해하는 당신 보면서 내가 얼마나 죄책감에 시달렸는지 알아?

서영   (진태의 흥분을 눈도 떼지 않고 바라본다.) 위선자!!!

진태   내가 위선자라고? (미친 듯이 웃다 울다 실성한 사람 같다. 갑자기 서영의 멱살을 잡고 그녀를 노려본다.) 밖에서는 딴 남자와 웃고 즐기고 뒹굴고 집에 와서는 언제 그랬냐는 듯 임신 걱정에 다리병신인 날 위해주는 척……. 위선자는 바로 당신이야.

서영   (진태의 분노에 눈 깜짝 안한다.) 내가 지난 결혼생활동안 얼마나 힘들었는지 알아? 당신에게 모든 걸 당신에게 맞추며 살아왔어. 왜인 줄 알아? 아이를 낳지 못했으니까……. 당신이 그토록 바라던 아이를 낳지 못했으니까. 다 내 잘못이라고 생각했으니까. 근데 이제 와서 무정자라구……. 어떻게 그렇게 쉽게 얘기할 수 있어?

진태   내가 무정자라는 말을 쉽게 얘기할 수 있었을 것 같아? 나도 힘들었어. 당신이 저지른 더러운 짓이 용서…….

서영   내가 왜 그랬을 것 같아? 당신이 날 이렇게 만들었어.

진태   내가 김선규를 만나게 만들었다구?

서영   그래. 당신이 날 멀리했잖아. 당신 사고 후 7년이란 세월 동안 내가 어땠을 것 같아? 응?

진태   난 차마 당신한테 말할 수가 없었어. 나도 내가 사고로 병원에서 재활치료를 받다가, 무정자라는 사실을 알게 된 후 자포자기로 다 포기하고 싶었어. 하지만 항상 당신을 바라보며 내 곁에서 천사처럼 날 지켜주는 당신에게 차마 진실을 말할 수가 없었어.

서영   당신은 말을 할 수 없었던 게 아니라 인정하기가 싫었던 거야. 안 그래?

진태	서영아, 난 아이를 낳을 수 없는 무정자라고 얘기할 수 없었어. 무서웠어. 날 버릴 것 같아서⋯⋯. 난 당신 없이 살 수가 없으니까.
서영	그래도 얘길 했었어야지. 언제까지 숨기려고 했어. 당신이 얘기하지 않았다면 난 죽을 때까지 몰랐겠네. 그럼 평생 당신한테 미안해하며 살았겠지. 죄인처럼⋯⋯. 나 여자예요. 당신한테 관심 받고 사랑 받고 싶은 여자라구요.
진태	그래. 당신 마음 알았어. 우리 다시 시작하자. 그러려면 그 아이 없애야 돼.
서영	아니 그럴 수 없어. 나 아이 낳을 거야!
진태	당신, 지금 그 뱃속에 있는 아이를 낳겠다는 거야?
서영	그래. 나 이 아이 낳아서 당신과 나의 아이로 기를 거야!
진태	그만. 그만. 그만!!! 당신이 어떻게 나한테⋯⋯. 안 돼! 당신이 살고 내가 사는 길은 이 아이만 없애면 돼!
서영	(진태를 노려보며) 내 몸에서 손 떼요! 한번만 더 아이를 죽인다는 얘기를 하면 내가 먼저 당신을 죽일 거야!
진태	(무기력하게 서영의 서슬에 손을 놓는다.) 서영아⋯⋯.

10 __ 취조실 2

서영과 진태의 대화 도중 민찬과 유해, 무대로 등장한다. 거실 장면이 바뀌면서 진태는 퇴장하고 무대는 취조실로 바뀐다. 서영까지 네 명의 용의자들이 앉아 있다.

민찬	강서영씨! 당신 내가 무슨 얘기 하려는 건지 알지?
서영	저는 있는 사실만 얘길 했고, 계속 협조를⋯⋯.

민찬	(치밀어 올라 무대로 나오며) 협조? 이게 협조하는 거야?! (강서영이에게 사진을 보여주며) 이 자료는 당신 남편 컴퓨터에서 나온 거야. 당신들은 최진태가 사람을 시켜 미행한 건 몰랐지? 당신이랑 김선규 내연 관계잖아. 그리고 뱃속의 아이는 김선규 아이이고. 바람피다 남편한테 들통 나니까 김선규랑 짜고 남편을 살해한 거 아냐?
수인	누난 그런 일을 꾸밀 사람이 못됩니다. 누나가 어떻게 선규와 만나게 됐는진 모르지만, 누난 가정을 지키기 위해서 최선을 다할 사람이라구요.
민찬	가정을 지키려는 사람이 바람을 피워? 거기다 애까지? 네 누나는…….
수인	(누나를 쳐다본다. 그리고 갑자기) 누난 헤어지려고 했어요. (강서영 놀라서 수인을 본다)
서영	수인아!
수인	근데, 선규가 누나와 헤어질 수 없다며 자꾸 누나를 괴롭혔습니다.
선규	형!
민찬	뭐야, 그럼 넌 강서영과 김선규 관계를 알고 있었다는 거야?
수인	그땐 몰랐죠. 하지만 이젠 확실히 알겠네요. 그러니까 사건이 있기 얼마 전, 누나가 누군가와 통화하고 있는 걸 우연히 들었습니다.
민찬	그래서? 그게 김선규였다?
수인	네.
서영	수인아!
민찬	그럼 김선규가 이별 통보에 앙심을 품고 최진태를 살해했을 수도 있겠네?
수인	저도 선규가 그런 일을 했을 거라고 믿고 싶지는 않지만……. 형사

님! 누난 아이 때문이라도 선규를 보호하려고 할 거예요.

철규 말도 안 됩니다. 아 글쎄 우리 선규는 아무런 상관이 없다니까요!

민찬 앉아. 이 새끼야.

철규 형사님. 선규가 뭐가 아쉬워서 유부녀를 건드립니까? 세상에 깔린 게 여잔데. 선규가 얼마나 저 여자를 좋아하는지는 모르겠지만 아니 손바닥도 서로 맞부딪쳐야 소리가 난다고. 어떻게 남편에 가정까지 있는 여자가 앞날 창창한 총각을 건드립니까? 칫. 지 남편한테 만족을 못하니까 젊은 총각 꼬드긴 거라구요.

수인 야 이 새끼야. 누난, 그런 여자가 아냐!

철규 야. 강수인! 너 말 다했냐? 이 새끼가. (수인 멱살 잡는다. 이때 민찬, 철규를 제압하고 유해에게) 이 형사. 이 새끼 수갑 채워!

철규 형사님. 잘못 했어요.

민찬 그러니까 네가 하고 싶은 말이 뭐야?

철규 형사님. 저 자식이 제 동생이라서가 아니라 누구 죽이고 그런 거 못하는 놈입니다. 그날 절 말리려고 들길래 전 나가라고 했고 내가 들어가자 그냥 따라들어 온 거예요. 그런데 저 여편네랑 그 남편이 있었고 위협 좀 줄려고 칼을 꺼냈는데 덤비 길래 그래서 홧김에 제가 찔러 죽였다고요!

선규 형. 그만해!

철규 가만있어, 임마! 그날 선규가 그 집에 간 것은 저 때문이었습니다. 제가 우리 아들 수술비 때문에 돈이 필요해서 그 집을 털러 간 거라구요.

민찬 조용히 해. 여기가 시장통인줄 아나? 다들 흥분하지 말고……. 김선규. 넌 강서영 씨한테 무슨 목적으로 접근한 거야?

선규   사랑하는 여자와 함께 하는 게 잘못인가요? 저는 서영 씨께 뭘 얻고
          싶어서 만난 게 아닙니다. 전 그냥 서영 씨랑 있는 게 즐겁고 행복했
          습니다.

민찬   사랑하는 여자와 함께 하는 게 잘못이 아니고. 니가 사랑한 사람이,
          남편이 있는 유부녀고 그 남편이 살해당한 게 잘못이지. 그래서 넌
          사랑하는 사람과 함께 하기 위해 최진태를 살해한 거 아냐!

서영   형사님! 그날 일은 그냥 사고였어요. (선규를 보며) 저 사람이 한 일이
          아닙니다.

민찬   뭐요?

모두   ······.

서영   남편은 저의 외도 사실을 알고부터 이상해지기 시작했습니다.

11 __ 서영과 진태의 집

취조실의 공간 조명이 서영의 말과 함께 어두운 거실로 바뀌면서 진태는 휠
체어를 밀며 등장해서 다트화살을 가지고 계속 던진다. 서영은 남편에게 줄
약을 가지고 등장한다.

서영   약 먹을 시간이야. 진태씨. 당신 언제까지 이럴 거야?

진태   ······.

서영   도대체 언제까지 이럴 거냐고! 당신이 지금 어린 아이인줄 알아?

진태   ······.

서영   (진태에게 다가가 그의 휠체어를 돌려 세운다.) 약 먹어.

진태   이거 놔!

서영   바보같이 버티지 말고 약 먹어. 빨리 약 먹고 치료받아야 나랑 싸울

거 아냐! 보란 듯이 일어나서 나한테 복수한다며!

진태 더러워…….

서영 그래. 나 당신 말대로 더러워. 그러니까 빨리 약 먹어.

진태 이거 놔~ 싫단 말야. 그냥 내버려둬~ 날 그냥 죽게 내버려둬도 아무도 너한테 뭐라고 할 사람 없어. 나만 아무 얘기 안하면 누가 알겠어? 네 뱃속에 있는 그 아이가 우리 아이가 아니라는 사실을?

서영 당신 도대체 왜 이러니? 사고 나서 다친 것도 모자라서 이제 아주 죽으려고 작정했나본데?

진태 왜? 내가 죽으면 강서영 새 출발하면 더 좋잖아? 세상에 너 좋다고 덤비는 놈들 많은데, 내가 빨리 죽어야 되는 거 아닌가?

서영 그만해요. 당신 흥분하면 안 좋아. (땅에 떨어진 컵과 물과 약 등을 정리한다.) 어서 약 먹고 논문 쓸 준비해요.

진태 (서영이 말 끝내기도 전에 미친 듯이 웃는다. 서영의 말꼬리를 붙잡고 따라한다.) 어서 약 먹고 논문 쓸 준비해요. (자신을 빤히 쳐다보는 서영에게) 아~~~ 이제야 알겠다. 당신은 지금 즐기고 있는 거야. 교통사고 이후에도 내 옆에서 정숙한 아내로서 다리병신인 나를 데리고 강의실과 캠퍼스를 다니며 주변사람들의 존경과 감탄의 시선과 말들을 즐기고 있었던 거야. 내 논문들 집필 작업에도 누구보다 앞장서서 나서는 것도 당신의 빛나는 내조로 이뤄지는 결과물이기에 더 더욱 당신을 만족시키는 거지? 안 그래?

서영 (할 말이 없다. 그의 말을 듣고 있다.) …….

진태 왜? 당신……. 정곡이라도 찔렸나보지?

서영 …….

진태 내가 묻고 있잖아. 고귀하신 강서영 사모님~

서영	당신이 뭐라고 얘기해도 좋아.
진태	내가 차라리 죽어버렸으면 좋겠지? 솔직히 얘기해 봐!
서영	이러지 말아요!
진태	내가 뭘? (아무렇지도 않은 듯~) 난 당신과 나의 결혼생활에서의 진실이 궁금해. 우리에게도 사랑은 존재하는가? 우리는 아직도 서로에게 진실을 얘기할 수 있는가? 가식적이고 거짓투성이인 관계에 대해 얘기하고 있는 거야? (애처롭다.) 빌어먹을, 어디서부터 빗나갔던 거지? 왜? 우리 왜 이렇게 된 거지? 서영아?
서영	(진태에게 다가서며) 아무 것도 변한 건 없어.
진태	서영아……. (그녀의 품에 안겨 운다.)
서영	(진태를 달래며) 너무 애쓰려고도 앞서 생각하려고도 하지 마. 가끔은 쉬어가는 것도 괜찮아. 당신은 여전히 유능한 대학교수이고 난 언제까지나 당신 아내로 살아 갈 거야. 변함없이…….
진태	서영아, 내가 뭘 그렇게 잘못 한 거니? (서영의 품을 파고든다.) 당신의 따뜻한 품이 그리웠어. 난 당신이 필요해. 당신 없인 살 수가 없어. 숨을 쉴 수가 없다고……. 서영아, 날 버리지 마! 난 너 없으면 죽어버릴지도 몰라.

12 __ 취조실 3

서영과 진태의 거실 장면 중간쯤 민찬과 유해 등장해서 모습을 지켜본다. 조명 크로스 되면서 다시 취조실로 바뀐다. 서영과 진태는 서서히 퇴장한다.

유해	선배님. 혹시 자살 아닐까요? 제가 생각해 볼 땐 그럴 수도 있을 거 같은데요?

민찬	뭐? 가뜩이나 머리 아픈데 너까지 이럴래? 어떻게 된 게 말이야, 수사를 할수록 더 복잡해지냐? 대체 나보고 어쩌라는 거야! (민찬 흥분한다.)
유해	(민찬을 한 쪽으로 끌고가서) 선배님! 제발 진정하세요! (민찬 또 흥분) 또 진정! 저……. 이 수사라는 게, 냉철한 이성을 가지고 판단해야 하거든요. (또 흥분) 선배님! (민찬 진정시키며) 그런데 자꾸 그렇게 감정을 가지고 행동하시면…….
민찬	하시면? 하시면 뭐?
유해	수사가 자꾸만 원점으로……. (겸연쩍은 듯이 웃는다.)
민찬	(순간 정신을 차리며) 원점으로, 원점으로……. 야, 너 말 한번 잘했다. 원점으로 돌아가서 다시 생각해보자구. 이 형사! 브리핑 좀 해봐!
유해	예? 제가요? 어, (당황) 어, 저기…….
민찬	(째려본다.)
유해	아닙니다. (서류 뒤적뒤적) 저기 그러니까……. 한 놈은 별세개짜리 도둑놈……. 또 한 놈은 집주인 마누라랑 내연의 관계! 남편이 죽었으니까……. 그러니까 이젠 안주인이 용의자고……. 그리고 한 놈은 집주인의 외사촌 동생인 동시에 주범인 김철규의 고아원 동기고……. 그리고…….
민찬	너 그걸 브리핑이라고 하는 거야?
유해	아니……. 갑작스럽게 말씀하시니까 저도 좀……. 아……. 아, 그리고 별세개짜리 도둑놈 마누라가 최진태집 가정부였고……. 또 그, 응……. 아 씨발…….
민찬	뭐?
유해	네? 아니, 아무 것도 아닙니다. 욕이 아니라…….

이정하 희곡집

민찬	김철규 마누라가 강서영이네 가정부라고?
유해	네.
민찬	왜 그걸 이제 얘기해?
유해	원래 조서에 있던 얘긴데……. 선배님 못 보셨어요?
민찬	그래? (서류를 다시 뒤적이며) 근데 왜 안 불렀어?
유해	아뇨, 선배님이 범죄 현장에 있던 사람들만 소환하라고 하셔서…….
민찬	어휴, 당장 불러와! (중얼거리며 퇴장)
유해	어휴, 상또라이…….

조명 암전.

13 __ 경희 집

아이의 맑은 노랫소리가 들린다. 조명이 비추면 철규, 무기력하게 앉아 있다. 경희 들어온다.

철규 (전화를 하며) 제가 급해서 그럽니다. 부탁 좀 드릴게요. 예? 여보세요. 여보세요. 씨발……. (다시 다른 사람에게 전화 건다.) 형. 아까 내가 부탁했던 돈……. 나 주혁이 살려야 해. 형이 어떻게 나한테 이럴 수 있어? 됐어. 다 필요 없어. 다시는 내 얼굴 볼 생각하지 마. (전화기 집어 던진다.)

경희 (방으로 들어오며) 여보! 짐 쌌어? (난장판인 방과 철규를 발견한다. 철규의 무기력한 모습을 바라본다.) 짐 좀 싸 놓지……. 돈은? 주혁이 어떻게 할 거야? 수술해야 한다잖아. 주혁이 저대로 죽게 내버려 둘 거야? 김철규! (철규에게) 정신 차려~ 돈 가져와. 이제 아빠 노릇 한다고 그랬잖아.

그럼, 주혁이 살려내. 살려내라고……. 당장 나가서 주혁이 수술비 가져와! 도둑질을 하든, 강도질을 하든, 무슨 짓을 해서라도 주혁이 수술비 가져와! 안 그러면 주혁이 죽어! 돈 가져 올 때까지 내 얼굴 볼 생각 하지 마! (짐 챙겨 나간다.)

철규 (전화기를 들고 수인에게 전화를 건다.) 수인아! 나 좀 도와주라…….

조명 암전.

14 __ 취조실 4

조명 들어오면 취조실에 사람들 앉아있고, 유해가 서류를 들고 등장한다.

민찬 그러니까, 넌 네 아들 수술비를 마련하려고 친구 강수인에게 전화를 해 돈을 빌려달라고 한 거지?

철규 예. 근데 수인이는 지금 당장은 돈이 없고 현금을 많이 갖고 있는 누나에게 부탁해본다고 했어요. 근데 수인이 전화는 오지 않았고, 우리 아이가 수술도 못 받고 죽어가는 걸 전 더 이상 기다릴 수가 없었습니다. 그래서 그 집을 털러 간 겁니다.

민찬 좋아. 김선규 넌 말리러 갔다가 같이 들어갔고…….

선규 그 날 저녁 형이 술이 취해 전화가 왔어요. 제게 집을 털러 간다고 했습니다. 아무리 말려도 철규형은 막무가내로 그 집안으로 들어갔습니다.

민찬 그 뒤에는 너희들이 진술한 얘기 그대로고…….

철규 예.

민찬 김철규! 너 이게 뭔지 알아? 국과수에서 방금 도착한 결과야! 살인무기 손잡이 제일 위에 남은 지문 누구 건지 알아? 김선규야! 그 말은 네 지문이 김선규 지문 때문에 뭉개져 버렸다는 거고 결국 그 칼 제일 마지막에 잡은 사람이 김선규란 말이야. 이래도 계속 거짓 진술할 거야?

철규   그, 그게……

선규   제가 죽인 것 같습니다.

민찬   죽였으면 죽였다, 아니면 아니다지. 죽인 거 같다는 건 또 뭐야?

선규   제가 죽였다구요! 처음부터 제가 죽였다고 얘기했잖아요. 불이 꺼지는 순간……. 제 손에 있던 칼이 어딘가에 박히는 느낌을 받았어요.

철규   저, 저기. 형사님. 선규가 칼을 들고 덤빈 건 사실이에요. 하지만 제가…….

선규   (소리를 지른다.) 악! 전 진짜 죽일 생각은 없었어요, 흑흑흑 그냥 미웠어요. 그 사람이 죽도록 미웠어요. 그 남자 때문에 서영 씨가 날 버린 것 같았어요. 서영 씨와 헤어지고 하루하루 죽지 못해 살았어요. 나……. (운다, 마음을 다 잡고) 사랑하며 사는 게 얼마나 행복한지 알려준 서영 씨한테……. 나 한 남자로 존재하고 싶었어요. 서영 씨하고 행복하게 살고 싶었다구요! 거기다 아빠도 됐는데……. 그 말도 안 되는 법적 남편이 제 인생을 망쳤어요! 그놈만 없어지면 될 것 같았어요. 그놈만 없어지면, 그놈만 없어지면 나도 행복하게 살 수 있을 거라 생각했어요. 저도 행복하게 살고 싶었다구요. 그래서……. 그래서……. 나도 모르게……. 미안해요. 서영씨!

사람들의 선규의 절규하는 모습을 지켜본다. 그는 서영을 바라보지만 서영 고개를 돌린다.

조명 암전.

15 __ 에필로그, 수인 독백

     수인, 철규와 선규를 지켜보고 있다. 철규, 서영의 집으로 들어가려 한다. 철규를 말리는 선규.

철규   가!

선규   형, 다시 생각하면 안 돼?

철규   임마! 귀찮게 하지 말고 얼른 가라고!

선규   이러다 잡히면 어떡하려고 그래! 형수님이랑 주혁이랑 소망이는…….

철규   (멱살 잡고) 나 주혁이 살려야 돼! 그래야 우리 네 식구 행복하게 살아. 이 방법밖에 없어. 제발 좀 가라!

선규   형!!!

철규   한번만 더 잡으면 너 나한테 죽는다.

선규   형, 형…….

     철규, 집안으로 들어가고 선규, 망설이다 따라 들어간다. 그 모습을 멀리서 지켜보고 있는 수인.

수인   모든 건 내 계획대로 진행 되고 있어. 이제 널 온전히 내 것으로 만들 수 있을 것 같아. 오늘밤에는 내 사랑을 완성 하는 거야. 서영아. 사랑해!

                                 조명 암전.

공연 커튼콜 사진

곽민찬 役 황창석, 이유해 役 이래경

김철규 役 박영진, 강수인 役 김희철

곽민찬 役 황창석. 강수인 役 김희철

강서영 役 최송희. 김선규 役 정영기

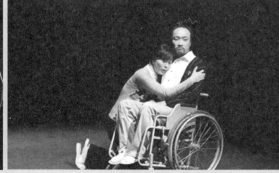

최진태 役 장원영. 강서영 役 최송희

최진태 役 장원영, 강서영 役 최송희   윤경희 役 유정숙, 김철규 役 박영진

김선규 役 정영기, 강서영 役 최송희

최진태 살인사건

작/연출 _ 이정하

일시 _ 2007년 6월 5일(화) ~10일(일)
장소 _ 대학로 우석 레파토리 극장

2007년 공연 포스터

소포모어 징크스
sophomore Jinx

▌공연 연보

● 2012년 12월 3일   제천 문화회관

▌줄거리

닥터 유안나는 부와 명예를 가진 남편과 결혼 후, 행복하고 성공한 커리어우먼처럼 생활한다. 하지만 그녀는 남편의 외도와 편집증으로 불행한 결혼 생활을 하고, 아들이 불의의 사고로 죽고 난 후 삶의 희망을 잃고 하루하루를 살아간다. 제주도에서 작가 신민규와 우연히 만나고 돌아온 뒤, 서울의 병원은 패션쇼를 준비하는 간호사 최규만 때문에 머리가 아프다. 하지만 닥터 유안나와 신민규는 그 와중에 다른 사람들의 트라우마 속 소포모어 징크스(Sophomore Jinx)를 발견하게 되고 사람들을 이해하게 된다. 그리고 그들은 사람들을 위해 성공과 행복을 위한 재도약 패션쇼를 시작한다.

▌연출 의도

현대사회를 살아가는 사람들은 바쁘게 움직입니다. 그들은 살아가기 위해 경쟁하고, 빠른 삶의 변화 속에 여유를 잊고 항상 힘들고 외롭다고 합니다. 갈수록 인간성의 결여와 일상생활에서의 결핍은 개인의 존재가치를 잊게 만들죠. 언젠가부터 더불어 살아가는 인간애를 잊고 살아가는 우리들에게 타인과의 진정한 소통부재 속에 작지만 소중한 관심과 사랑에 대한 이야기를 나누고 싶었습니다.

삶의 꿈을 위해 자꾸만 패배하고 절망하는 사람들에게 꿈과 희망에 대한 생각을 다시금 조명해보고자 이번 연극을 만들었습니다. 우린 소통을 통해 인간의 사랑을 다시금 인식해야 합니다.

사랑하자. 그리고 소통하고 이해하자. 그러면 세상은 살만할 것이다.

연극 〈소포모어 징크스〉 공연을 위해 연습에 참여해 주신 모든 배우들과 스탭들에게 감사의 마음을 전하고 싶은 날입니다. 추위 속에서도 이따금 찾아오는 초겨울의 청명한 하늘처럼 우리 삶에도 맑고 따뜻한 겨울 기운이 찾아오길 희망하는 시간입니다. 항상, 바로, 지금 바로 이 순간이 행복하길 소망합니다.

▌등장인물

유안나	닥터
신민규	팬션 주인
최규만	간호사
류철민	증권맨
강신영	비서
이민정	빅사이즈 모델
정기운	제성그룹 홍보팀장

1 __ 프롤로그

음악이 흐르면서 조명 들어오면 조각상처럼 사람들의 모습이 보인다. 미동 없이 멈춰있는 사람들이 조금씩 음악에 맞춰 움직인다. 우산을 사용한 다양한 몸짓을 통해 바쁘고 정신없는 일상의 단편을 보여주는 등장인물들.
중간 중간 유안나를 제외한 사람들이 더위, 스트레스, 살다보면 화나고 분노하게 하는 여러 가지 상황들을 만들며 참지 못하고 분노하는 일상의 모습들을 표현한다. 갑자기 쏟아지는 소나기. 거친 욕설을 하며 우산을 꺼내는 사람들과 비를 피해 뛰어가는 사람들. 빠른 속도의 인물들과 달리 탑 조명이 켜지면 의사 유안나의 모습이 보인다. 핼쑥한 마른 얼굴. 아름다운 얼굴이다. 세차게 내리는 비를 맞다가 하늘을 쳐다본다. 눈을 뜰 수가 없다. 하지만 그녀는 하늘을 향해 온전히 비를 온 몸으로 맞고 있다. 우산을 쓰고 걷고 있던 작가 신민규, 유안나를 바라보다 그녀에게 다가가 우산을 씌워준다. 커져가는 빗소리.

조명 암전.

2 __ 일상

시간이 흘러간다. 아침. 새 소리. 조명이 들어오면 간호사의 가벼운 움직임. 서류철을 정리하며 CD 플레이어를 튼다. 경쾌한 노래 소리가 들리고 간호사, 음악에 맞춰 움직인다. 즐겁다. 웃음이 나오고 행복하다. 닥터 유안나 들어온다.

유안나　좋은 아침?

간호사　어머! 깜짝이야!

유안나　살쪘네?

간호사　아이, 선생님! (음악을 끈다.) 선생님. 좀 더 쉬시고 나오시지……. 이렇게 일찍 나오셨어요?

유안나　(벽에 걸린 시계를 확인하며) 내가?

간호사　예! 아직 8시 20분밖에……. 제주도는 잘 다녀오셨어요?

유안나　응.

간호사　(커피를 따른다) 포럼은 어떠셨어요?

유안나　똑같지, 뭐…….

간호사　올레 길은 걸으셨어요?

유안나　아니, 잠만 자다 왔어.

간호사　(커피를 책상위에 놓으며) 선생님은 제주도까지 가서 잠만 주무시다 오면 어떡해요? (아쉽고 안타깝다.) 어떡해, 어떡해…….

유안나　(바라보며) 미스터 최?

간호사　네!

유안나　뭐가 궁금해?

간호사　그냥…….

유안나　그냥 잤어.

간호사　설마……. 9박 10일이면…….

유안나　상상하지 마.

간호사　열흘 동안 선생님 혼자서……. 제주도에서 의학 포럼 하루는 그렇다

쳐도 나머지 일정을 계속 잠만 잤다면, 왠지 믿음이? 안 가죠…….

유안나 별일 없었지?

간호사 아니, 있었지요. 저의 센스 있는 홈페이지 관리운영에서 생긴 현상으로 환자들이 속속들이 왕림하고 계십니다.

유안나 (피식 웃는다.) 그만하지.

간호사 최근 입원한 환자는 신민규. 직업, 서비스업 종사자! 나이 38세. 인슐린 수치 공복 때는 200mg/dl. 식사 후 2시간 경과 후 280mg/dl.

유안나 수치가 꽤 높네?

간호사 근데, 선생님 이 환자, 광혜 대학병원에서 치료받다가 갑자기 우리 병원으로 휙 옮겼네? 이건 분명?

유안나 분명 뭐?

간호사 첫째, 병원의 지속적인 환자 방문과 상담. 둘째, 홈페이지를 통한 회원 관리와 애프터서비스. (들뜬 목소리) 셋째, 당뇨는 병이 아니다. 당뇨는 이길 수 있다. 당뇨는…….

유안나 (책상 위 서류를 살피다가) 미스터 최…….

간호사 당뇨는 자신의 의지와 노력으로…….

유안나 (버럭) 그만!

간호사 어머나, 깜짝이야.

유안나 (서류를 보여주며) 이건 뭐야?

간호사 (방긋 웃으며) 저의 야심찬 올 가을 프로젝트 작품입니다.

유안나 이지 플리즈!!!

간호사 그동안 저희 병원에서는 내분비 내과의 사명감을 가지고, 당뇨 환자들을 꾸준히 관리 치료한 덕분에 국내 학회는 물론, 국외까지도 명성과 권위를 자랑하고 있습니다. 물론 선생님의 연구논문은 짱! (닥터를 바라보며) 저의 어시스트 인정! (닥터, 간호사를 바라보고 있다. 의지가 빛난다.)
이에 저의 빛나는 재능과 고루하지 않은 참신한 역량을 통해 우리 환
자들의 힐링 치료 프로그램을 개발하였습니다. 그동안의 지루하고
반복적인 치료법에서 벗어나기 위해 저는 지난 1년 6개월간의 피나
는 노력과 고민을 통한 획기적인 방법을 제시하고자 합니다.

유안나 이게 말이 된다고 생각해?

간호사 패션쇼가 어때서요?

유안나 연습하다 인슐린 부족하면?

간호사 당연히 혈당 떨어지고 탄수화물 대사(carbohydrate metabolism)에 이상
이 생겨…….

유안나 우리 병원 전체 환자가 인슐린 의존 환자인 거 모르고 하는 소리야?

간호사 선생님…….

유안나 안 돼.

간호사 선생님…….

유안나 안 돼!

간호사 류철민, 강신영, 이민정 환자는 벌써 연습 시작했어요. 그리고 새로
온 신민규 환자도 참여의사를 밝혔…….

유안나 최 간호사 정신 있어? 류철민 환자는 망막에 변화를 일으켜 시력이
나빠지는 당뇨성망막증(糖尿性網膜症; diabetic retinopathy)에 강신영 환
자는 심혈관계 합병증, 이민정 환자는 신장질환 합병증으로…….

진료실 밖에서 두 사람의 말을 듣던 신민규, 문을 열고 들어온다.

신민규 9시가 넘어서…….

간호사 어서 들어오세요. 선생님, 제가 아침예약 잡아놓고 깜빡! 신민규씨

　　　　　잠은 잘 주무셨어요? 저희 병원이 시내에서 떨어져 조용하고 공기도
　　　　　맑고…….

유안나　　최 간호사 나중에 얘기해요. (간호사 토라져서 나간다.)

신민규　　(의사를 빤히 바라보며) 신민규입니다.

유안나　　예, 앉으세요! (컴퓨터 모니터를 바라보며) 아침 식사는 하셨어요?

신민규　　먹었죠.

유안나　　혈당 수치 검사는?

신민규　　했죠! 오늘도 변함없이 280. (일하는 유안나를 바라보다가) 저, 기억 안 나
　　　　　세요?

유안나　　네?

신민규　　이 병원에 입원한 지 5일 정도 됐고, 열흘 전엔 제주도 서귀포에 있
　　　　　었어요! (닥터, 신민규의 말을 이해하지 못한다.) 법화포구 앞, 소나기…….
　　　　　고개를 이렇게 하고 하늘을 보고 있었잖아요. (벌떡 일어나 유안나의 모습
　　　　　을 그대로 재현한다.) 이렇게…….

유안나　　설마…….

신민규　　맞아요, 나!

조명 컷 아웃 되면서 쏟아지는 빗소리. 무대 앞으로 제주도 바닷가의 유안
나의 모습 보인다. 작고 마른 체격이지만 아름다운 얼굴이다. 번개소리.

유안나　　그때 얼굴을 할퀴었어야 됐어. 머리채를 뒤흔들고……. (번개소리) 아
　　　　　들……. 엄마가 너무 부끄럽다. 너 보기가 너무 부끄러워. 나는 의사
　　　　　로서 책임과 의무를 다하고 양심과 위엄을 잃지 않을 것이며, 환자들
　　　　　의 생명을 살리는데 최선을 다 할 것이며……. (번개소리) 집어치워.
　　　　　내가 왜 살고 있는 거지? (바다를 바라보며 소리친다.) 제발, 누가 대답 좀

해 줘! 내가 누군지? (머리가 어지럽다) 내가 뭘 원하는지 모르겠어. (번개 소리) 난······.

그녀의 절규하는 모습. 멀리서 지나가던 신민규, 유안나를 발견한다. 유안나는 숨을 고르고 고개를 들어 비가 오는 하늘을 바라본다. 눈을 뜰 수가 없다. 하지만 그녀는 하늘을 향해 온전히 비를 온 몸으로 맞고 있다. 신민규, 천천히 다가와 유안나에게 우산을 씌워준다. 커져가는 빗소리.

조명 암전.

3 __ 제주도 펜션 마당

파도소리가 들리며 조명이 들어오면, 작고 아담한 신민규의 민박집 앞마당 벤치에 유안나가 앉아있다. 여름 밤 노을이 지는 저녁 무렵. 무대에 유안나와 신민규의 모습이 보인다. 낮게 파도소리가 깔린다.

신민규 뭐가 보이던가요?

유안나 네?

신민규 빤히 하늘을 보고 있었잖아요?

유안나 아무 것도 보지 못했어요.

신민규 비가 그렇게 쏟아지는데 당연히 아무 것도 보이지 않죠! (자신의 스웨터를 입고 있는 그녀를 바라보며) 옷은 금방 마를 겁니다. 서울에서 오셨어요?

유안나 네.

신민규 제주도는 어떻게······.

유안나 일 때문에······.

신민규 네.

유안나	제주도 분이세요?
신민규	아뇨, 저도 서울에서 왔어요. 제주도에서 민박집을 한 지 벌써 4년이 돼가네요. (유안나의 핸드폰 소리) 전화 안 받으세요?
유안나	괜찮아요.
신민규	계속 울리면 신경 쓰이지 않나……. (전화벨 소리 꺼진다.)
유안나	…….
신민규	핸드폰 없앤 지 벌써 2년 됐어요. 서울에선 핸드폰 없이 산다는 건 상상도 못했는데……. 성북동에서 태어나 30년 넘게 서울서 살았는데 어떻게 살았나 몰라요. 저는 여기가 참 좋아요. 내가 나를 바라보며 살아가는 그런 곳이죠? (유안나를 바라보며) 그럼 좀 쉬세요. (퇴장)
유안나	(생각에 잠기며) 내가 나를 바라본다…….

유안나는 신민규가 나가면 일어나서 중얼거리면서 퇴장한다. 무대 다른 편에서 환자들, 요가매트리스를 들고 이야기를 나누며 등장한다. 증권사 팀장 류철민과 비서 강신영, 빅 사이즈 모델인 이민정의 모습이 보인다. 몸매가 드러나는 트레이닝복의 간호사 최규만의 모습. 요가매트 위에서 몸 풀기를 하는 사람들.

간호사	즐거운 체력단련시간입니다. 자리에 매트 펴세요. 매트 왼쪽 편에 서시고 두 손 모아 "라마스떼." 자! '고개 돌리기'부터 하겠습니다! 원, 투, 쓰리, 포, 파이브, 식스, 세븐, 에잇…….
모두들	원, 투, 쓰리, 포, 파이브, 식스, 세븐, 에잇…….
간호사	원, 투, 쓰리, 포, 파이브, 식스, 세븐, 에잇…….
모두들	원, 투, 쓰리, 포, 파이브, 식스, 세븐, 에잇…….
간호사	원, 투, 쓰리, 포, 파이브, 식스……. 다 같이 호흡 들여 마시고…….

모두들	흡……. 휴…….
간호사	한 번 더…….
모두들	흡……. 휴…….
간호사	이제 에어로빅 할 시간이에요. 가와이 민정!
이민정	(앞으로 나오며) 네!
간호사	잘 할 수 있죠?
이민정	네.

간호사, 리모컨으로 음악을 튼다. 시범을 보여주던 이민정과 에어로빅을 하는 사람들. 이민정의 열정적인 에어로빅과 춤을 추다 지켜보는 사람들. 사람들 시선에 민망해하는 이민정. 간호사 음악을 끈다.

간호사	자, 수고하셨고 5분 쉬었다가 워킹 연습하겠습니다.

류철민(증권맨)은 땀을 흘리는 이민정(모델)에게 손수건을 건네준다. 진동소리. 류철민, 잠시 전화를 받는다.

류철민	정기운 팀장! 그래. 주식이? 응. 알았어! (전화를 끊는다.) 골든크로스 (golden cross; GC), 즉 단기주가 이동평균선이 장기주가 이동평균선을 급속히 상향 돌파하는 것으로 강세장으로의 전환을 신호한다.
이민정	철민 씨는 어떻게 증권에 대해 잘 아세요. 그럼 반대적 측면에서 바라보면 어떻게 돼요?
류철민	데드 크로스(dead cross; DC)!
이민정	산타 크로스?
류철민	어머 센스쟁이! 즉, 데드크로스란 단기주가 이동평균선이 장기주가 이동평균선을 하향 돌파하는 것으로 약세장으로의 강력한 전환신호

를 의미한다. 주주들은 그들이 가지고 있는 증권을 매입 또는 다른 증권과 교환하겠다는 것을 직접 제의하는 공개매수(tender offer)를 통해 손해를 덜 보고자 발악을 할 것이고, 어쩌면 주가변동 폭이 너무 심해 시세차익이 생긴다고 보였을 때 당일치기 방법으로 사거나 팔아치우는 주식을 바로 그날, 반대로 팔거나 사는 극단적 매매행위를 함으로써 주주들은 물론 개미들까지 박멸할 수 있다는 겁니다.

이민정 너무 멋져!

강신영 어휴, 저 바퀴벌레들⋯⋯.

류철민 마르크스 경제학에서는 자본을 불변자본과 가변자본으로 나누는데, 경영용어로는 자기자본과 타인자본으로 나누게 됩니다. 여기서 말하는 자기자본이란 자본금, 법정준비금(자본준비금, 이익준비금, 재평가적립금), 잉여금을 말하며, 타인자본은 사채나 장단기 차입금을 말하는 거죠. 따라서 기업경영을 건전하게 하기 위해서는 자기자본에 충실해야 한다는 겁니다.

간호사와 몸을 풀던 강신영은 류철민과 이민정의 애정행각에 화를 버럭 낸다.

강신영 (버럭) 우리!!! 워킹은 언제 하냐구요?

조명 컷 체인지하고 암전 속에서 파도소리가 들린다. 무대 조명이 들어오면 무대 한편에 다시 유안나의 모습이 보인다. 민박집 뜰 앞 절벽근처. 별빛이 가득하다.

유안나 나 유안나는 이제부터 의료업에 종사할 허락을 받으매 나의 생애를 인류 봉사에 바칠 것을 엄숙히 서약 하노라. "나의 은사에 대하여 존경과 감사를 드리겠노라. 나의 양심과 위엄으로 의술을 베풀겠노라. 나는 환자의 건강과 생명을 첫째로 생각 하노라. 나는 환자가 알려준 모든 내정의 비밀을 지키겠노라. 나는 의업의 고귀한 전통과 명예를 유지 하겠노라. 나는 동업자를 형제처럼 여기겠노라. 나는 인종 종교 국적 정당 정파 또는 사회적 지위 여하를 초월하여 오직 환자에게 대한 나의 의무를 지키겠노라. 나는 인간의 생명을 그 수태된 때로부터 지상의 것으로 존중히 여기겠노라. 비록 위협을 당할지라도 나의 지식을 인도에 어긋나게 쓰지 않겠노라. 이상의 서약을 나의 자유의사로 나의 명예를 받들어 하노라." (손을 내리고 하늘을 바라보며) 나는 히포크라테스 선서에 의해 의사로서 부끄럽지 않게 살아왔다. 이제 그만 할래. 아들…… 엄마가…….

유안나, 하늘을 바라본다. 히포크라테스 선서 부분의 '수태'라는 부분부터 불규칙한 아들의 웃음소리들. 유안나, 정신을 차리려고 하지만 아들의 소리는 점점 그녀를 지배한다. 그녀는 검은 바다와 하늘을 바라본다. 신민규, 민박집에서 나온다. 유안나, 신발을 벗고 한 발을 움직인다. 어둠 속에 몸을 숙이려는 순간 신민규, 유안나의 팔을 잡아챈다. 벼락 떨어지는 소리.

신민규 (유안나의 팔을 잡아채며) 미쳤어요?

조명 암전.

4 __ 욕구 불만

무대에 조명이 들어오면 강신영, 방울토마토를 입 안 가득 먹고 있다. 산책하다 들어오던 류철민과 이민정은 양 볼 가득 터질듯이 먹고 있는 강신영을 발견한다.

이민정	아, 신영씨 또 먹어? 살쪄!
강신영	아니~ 내가 먹어도 먹어도 허해서……. 그리고 이거 과자 아니잖아요. 심장에 좋은 토마토야. 토마토! 내가 심혈계가 안 좋아서 요런 거 먹어줘야 된다니까?
이민정	그래도 많이 먹는 건 안 좋아. 소담이 봐봐. 식이요법 안 하고 지 고집대로 먹고 싶은 거 다 먹다가……. (하늘을 가르키며) 갔잖아!

강신영, 먹던 토마토 집어 던진다. 류철민, 떨어진 토마토를 주워 휴지통에 버린다.

이민정	참 안 됐어. 소담이 나이는 어리지만 참 착했는데…….
강신영	착하긴 뭐가 착해? (흥분) 나한테 반말이나 찍찍하고 싸가지 없이. 걔 말이야. 내 음료수 몰래 다 먹고 지 것 좀 달라고 하니까 모른 척하고……. 내가 그 버르장머리를 확?
류철민	신영씨!
강신영	죽은 건 안 됐지만 착하지는 않았다구요!
류철민	그러니까 신영씨도 착하지는 않다는 말이구나…….
강신영	뭐야, 이 사람! 눈이 멀더니 귓구멍까지 막혔나 봐!

이민정은 살며시 호주머니에서 귀이개를 꺼내 류철민에게 건네준다.

류철민	뭐예요?
이민정	귀 후비시라고…….
류철민	센스쟁이! (이민정과 류철민 웃는다.)
강신영	어, 징그런 바퀴벌레, 바퀴벌레들…….
이민정	신영씨 소담이 안 됐잖아! 연애도 한번 못하고 그 어린 나이에 죽어

서 어떡하니! 아이, 불쌍해.

강신영   그럼 연애 많이 하고 나이 많으면 죽어도 되는 거야?

이민정   그런 말은 아니고……

강신영   아우 속상해. 아……. 허하다.

류철민   아!

이민정   왜 그러세요?

류철민   귓밥이 너무 커서…….

이민정   아, 시원하시겠다.

강신영   너무 더러워!

이민정   신영씨, 연애를 좀 해 봐. 양평 같은 데 가서 강을 바라보면서 보더콜리 옆에 딱 앉혀놓고 쓰다듬으면서 아메리카노 한 잔! 마시는 거야. 옆에는 모닥불이 이글이글 타고 있고 그 속에 고구마가 폭폭 익고 있는 거지. 입 주위에 까맣게 묻히면서, 자기 한 입! 나 한 입!

강신영   연애 참 많이 해 봤나 봐?

활짝 핀 웃음과 가벼운 발걸음의 최 간호사 등장한다. 강신영은 재빨리 토마토 박스와 쟁반을 감춘다.

간호사   여기들 계셨네요? 무슨 얘기가 그렇게 재밌어요?

강신영   아무것도 아니에요!

간호사   (냄새를 맡는다.) 무슨 냄새가 나는데……. 신영씨 또 뭐 먹었죠?

강신영   아니에요. 아니에요. (이민정을 가르키며) 민정씨가 먹었어요.

류철민   방울…….

간호사   토마토? 뷰티 신영! 하루에 정해진 식단대로 먹어야 된다고 주의 줬죠? 뷰티 신영, 옐로카드!

이민정	최 간호사님, 근데 패션쇼 프로젝트 어떻게 되는 거예요? 우리의 런웨이?
간호사	걱정 마세요. 잘 준비하고 있어요.
강신영	우리의 런웨이, 좋아하네. 너 피팅 모델이었잖아. 그것도 빅 싸이즈. 98킬로!!!
이민정	아니에요. 지금은 78킬로…….
류철민	참, 너무하네. 아담하니 딱 좋구만!
간호사	(혈당 치수 결과를 확인하며) 이것 봐라, 이것 봐. 뷰티 신영! 도대체 방울토마토를 얼마나 먹은 거예요? 혈당 270 나왔잖아!

이민정은 조용히 테이블 밑에서 방울토마토 박스를 꺼내 보여준다.

간호사	어머머머! 이걸 다 먹었단 말이에요?
강신영	아니에요. 반 박스…….
간호사	뷰티 신영, 자기 한번만 더 내 말 안 들으면. 아웃이야! 아웃!

강신영, 나가는 최 간호사 쫓아가며 미안해한다. 최 간호사 대꾸도 없이 나간다.

강신영	여기서도 잘리는 거야? 난 이제 갈 데가 없는데…….
류철민	소포모어 징크스(Sophomore Jinx)!
강신영	소포모어 징크스?
류철민	여기선 말하는 소포모어 징크스란, 2년차 징크스!
이민정	어머, 철민씨 어쩜 그렇게 아는 게 많으세요!
류철민	성공적인 첫 출발에 비해 그 다음부터는 계속 실패를 거듭 한다는 거죠! 예를 들어 신영씨의 첫 출발은 성공적인데 반해 그 다음부터는

계속 실패를 거듭했다는 거죠.

강신영 (버럭 화를 낸다.) 누가 뭘 실패해요! 그리고 소포. 뭐요? 불난 집에 부채질 하는 것도 아니고 뭔 헛소리예요?

류철민 워워. 내 말은 신영씨가 (웃으며) 나한테 잘 보이면 한 자리 꽂아 줄 수도 있다는 거예요!

강신영 꽂긴 뭘 꽂아요? 면봉을 꽂아요? 잘났어, 잘났어. 어우 저 구라쟁이!

간호사 (들어서며) 뭐하고 있어요? 우리 '짐볼 체조' 하러 갈 시간 다 됐는데!

이민정 네! 준비 다 됐어요. 신영씨! 우리 혈당 내리러 가자.

류철민 민정씨 같이 가요!

류철민, 책상 들려는데 허리가 무리다. 이민정은 류철민을 바라보다가 책상을 번쩍 들고 나간다.

조명 암전.

5 __ 산다는 건······.

파도소리. 신민규가 조약돌을 던지는 소리에 조명 들어온다. 민박집 테라스. 밤이 깊다. 별빛 하늘 가득하다. 벤치 위에 빈 맥주 캔이 보이고 유안나와 신민규의 모습이 보인다.

신민규 파도 소리 좋아하세요? 밤에 들리는 파도소리는 조금 달라요. 더 슬프게 들려요. 제주도에 처음 왔을 때 바다를 보다 문득 이런 생각을 했어요. 어떤 거인이 이 호수에 얼마나 큰 돌을 던졌길래 끊임없이 파도가 밀려올까? (웃음) 부모님들은 한 때 내가 미쳤다고 생각했어요. 난 서울에서 태어나 34년을 유복한 가정에서 좋은 환경에 고등교육을 받고, 군대 제대하고, 대학 졸업하고 누구나 알만한 유명한 회사에 다녔죠. 그곳에서 카피라이터로 잘 나갔어요. 그런데 그 카피라이터 생활이라는 게 새벽 6시에 출근하고 12시 퇴근, 6시 출근 12시 퇴근…… 그 생활을 8년을 했어요. 그런데 어느 날 문득 이런 생각이 들더라구요. 무엇 때문인지 모르겠어요. 뭐 하는 거지? 신민규 넌 누구지? 어디로 가고 있니? 이런 생각……. 그래서 무작정 짐 싸들고 제주도로 와 버렸고, 난 그렇게 현실에서 도망쳐 버렸죠. (피식 웃는다.) 어렵지도 않더라구요. 서울 생활 정리하고 이곳에 땅을 샀어요. 융자받아 민박집 짓고……. 참, 쉽죠?

유안나   난 가끔 꿈을 꿔요. 오랜 시간 공부를 해서 의사 국가면허시험에 합격을 하고 맹세했던 히포크라테스 선서를 하던 그 날의 환한 내 얼굴과 일그러진 지금의 얼굴이 겹치곤 하죠.

신민규   사는 게 그래요. 조급해 하지 말고 다 버려야 해요. 절망스럽다고 생각하는 건 당신이 만들어낸 가짜예요. (파도소리 거세지다가 잦아진다.)

유안나   내가 버러지만도 못하다고 생각하며 사는 게 어떤 건지 알아요? 새파랗게 젊은 여자아이가 병원 문을 박차고 들어와서 왜 이혼을 안 해 주냐? 당신 거머리냐? 라고 했을 때 내가 뭐라고 했는지 알아요? 미안하다고 했어요. 이혼해 줄 수 없다고……. 어떻게 살아야하는지 모르겠어요.

신민규   진짜 삶을 살아서 다행이네요. 사는 게 쉽지 않아요. 앞으로 더 힘들어질 일이 생기겠죠. 연로하신 부모님은 어떻게 해야 하나, 융자 받은 은행 빚. 아플 땐 병원 가야 하는데 이 민박집은 어떻게 하지? 나이는 계속 먹어가고 내 육신은 늙어갈 테고……. 하지만 난 진짜 내가 원하는 시간을 살 수 있어요. 앞으로 힘들고 죽을 때까지 내가 짊

어져야 할 인생과 시간이지만, 지금 난 누구를 위한, 누구에게 보이기 위한 삶이 아닌 나 자신만을 위한 진짜 내 삶을 살고 있으니까……. 행복은 스스로 만들어야 하죠.

유안나 어떻게 그런 확신이 들어요?

신민규 하늘을 바라보는 시간이 길어지니까요. 바람도 느끼고 꽃도 보이고 사람들의 미소와 웃음소리도 들리고……. 그런데 이 꽃이란 놈이 대단해요. 봄비가 하는 일을 알아요. 그리고 바람이 하는 일을 알고 햇살이 하는 일을 알죠! 사람이 하는 일을 알아요.

유안나 진짜 삶을 살아서 다행이네요. 난 살려고 제주도에 와요. 작년 이맘때 아이가 사고로 죽었어요. (아이의 환청 소리) 난 살고 싶어요.

신민규 울고 싶으면 울어도 되는데…….

유안나, 눈에 눈물이 가득하다. 항상 그랬듯이 숨죽여 눈물만 흘리는 유안나를 신민규, 바라보다가 그녀에게 다가가 그녀의 머리를 자신의 어깨에 기대어준다. 울컥 터진 울음소리와 함께 잔잔한 파도소리가 커진다.

조명 암전.

6 __ 예행연습

무대의 어둠 속에서 최 간호사의 목소리가 울린다. 파이브, 식스, 세븐, 에잇. 조명이 비쳐지면 환자들의 워킹 연습 모습이 보인다. 모두들 의욕이 넘친다. 사람들 시선 모두가 신민규에게 쏠린다. 그의 장난스런 성적 매력의 행동들. 사람들 감탄한다.

강신영 어쩌다가 서울까지 오셨어요?

신민규 별 거 없어요!

강신영	사는 게 전쟁인데 별 거 없다니요?
간호사	포즈!
류철민	(사람들의 시선을 받는 신민규를 의식하며) 우린 매일같이 개장해서 폐장 때까지 초죽음을 경험하고 모든 증시의 움직임에 따라 초토화가 되느냐?
간호사	턴!
류철민	아니면 축배의 잔을 드느냐? 하는 문제에 봉착하게 됩니다.
이민정	그래요!
간호사	민정씨, 라인!
이민정	산다는 건 참 슬픈 일이에요. 돈의 흐름을 움직이며 자신의 이익을 차지하려고 지지고 볶고 하는 증권계나 자신의 꿈과 희망을 위해 노력하는 우리 빅 사이즈 모델들이나 산다는 건 다 똑같죠.
강신영	꿈과 희망? 사는 게 지옥이에요! 지옥. 불규칙한 수면과 식사, 스트레스, 스트레스, 스트레스!!! 머리끝에서 발끝까지 끈적끈적 훑어보는 늑대 같은 상사들……. 집에 있는 처자식들한테 미안하지도 않나?
이민정	(조심스럽게) 신영 씨는 말이 너무 거칠다. 건강에 안 좋아요.
강신영	하루에 5시간밖에 못 잤다니까요. 그렇다고 내가 뭐 대단한 일 하는 줄 아는데, 맨날 미스 강 커피 한 잔! 미스 강 녹차 한 잔! 왜? 쌍화차도 시키시지! 내가 다방 레지야?
간호사	턴!
강신영	악착같이 아르바이트해서 대학 나와 일급비서 자격증 따면 뭐해? 10년 동안 허드렛일 하고 내가 얻은 건 서울의 작은 전셋집. 당뇨 합병증…….
이민정	어머, 그럼 나이가 서른 다섯?

강신영	서른 여덟!
이민정	아, 삼팔 광땡! 진짜 동안이다. 완전 부럽다.
강신영	동안이면 뭐해요? 다 껍데기지.
간호사	뷰티 신영. 자긴 긍정의 힘이 필요해. 당뇨는 병이 아니야. 이겨낼 수 있어요. 심혈관계합병증 또한 식이요법과 지속적인 운동. 긍정의 사고를 통해 극복할 수 있단 말예요. I can do it! You can do it!
강신영	(간호사의 과도한 움직임에 피식 웃는다.) 난 최 간호사님. 너무 좋아!
간호사	Me to!!!
이민정	(눈을 반짝이며) Really~~~

사람들 깔깔거리며 웃는다.

간호사	어텐션(Attention)!!!

사람들, 워킹 준비라인으로 가고 최 간호사, 음악 틀고 사람들 신발 갈아 신고 워킹라인으로 가로로 선다. 최 간호사의 구령에 맞춰 사람들 함께 걷는다.

| 간호사 | 자! 제가 구상한 2012년 연말 대 프로젝트로 진행될 패션쇼는 여기 계신 여러분들이 주인공입니다. 제가 당뇨 전문 병원인 우리 병원에서 근무한 지 어언 10년이 다 되어갑니다. (에어로빅 신발로 갈아 신는다.) 10년이면 강산도 변한다고 하는데 우린 항상, 매번 똑같은 수치! 똑같은 치료 속에 살아갑니다. 하지만 저는 꿈을 꿉니다. 그리고 희망합니다. (환자들 서서히 몸을 풀기 시작한다.) 우리가 살아가면서 얼마나 많은 시련과 고통 속에 살아가고 있습니까? 돈과 성공, 그리고 명예를 추구하는 현대사회의 사람들……. 여러분! 우린 왜 삽니까? 우린 행 |

복하기 위해 삽니다. 그럼 어떻게 하면 행복해질까요? 각자 사는 이유를 분명히 알게 된다면 우린 행복할 수 있습니다. 여러분은 지금 행복하십니까? 각자 다른 학력과 연봉과 직업, 그리고 환경 속에 살아가는 여러분들은 자신만의 행복의 색깔을 찾아야하는데 세상 사람들은 항상 모호한 행복의 잣대로 모호한 희망만을 가지고 살아가라고 합니다. 우린 분명 알아야합니다. 왜 사는지? 무얼 위해 사는지? 어떻게 사는 게 행복한 건지?

최 간호사 흥분해서 열광적으로 말하다가 사람들을 바라본다. 사람들 최 간호사의 시선을 느끼고 오버하며 열광하며 박수를 친다.

간호사	여러분 패션쇼 원하시나요?
모두들	네!
간호사	자신을 믿습니까?
모두들	네!
간호사	우린 해낼 수 있습니다! 각자의 트라우마에서 벗어나 미래를 위한 우리의 희망프로젝트는 계속 쭈욱 진행될 겁니다.
모두들	와!!!
간호사	가와이 민정!
이민정	네!

이민정, 앞으로 나오고 간호사, 리모컨을 작동시키고 음악 나온다. 이민정이 나와서 동작 시범을 준비하고 최 간호사 음악을 튼다. 유쾌한 음악과 함께 사람들이 에어로빅을 시작한다. 에어로빅 동작들. 시범을 보이는 이민정을 바라보며 류철민, 강신영, 신민규 반복한다. 유안나, 들어와서 사람들을 바라본다.
춤추던 신민규, 지루해질 즈음 에어로빅 체조를 바라보는 유안나를 발견한

다. 신민규도 무리에서 빠져서 유안나를 지켜본다. 신나게 에어로빅을 잘 수행하는 환자들을 바라보다가 유안나, 나가려고 한다. 갑자기 강신영, 심장 쇼크가 와서 쓰러지고 사람들 놀란다. 유안나, 되돌아와서 강신영에게 심폐 소생술을 실시한다. 얼마간의 급박한 시간이 흐르고 강신영, 정신을 차린다. 유안나의 지시로 최 간호사와 사람들은 강신영을 데리고 나간다.

유안나 어서 회복실로 옮겨!

신민규 괜찮으세요?

신민규는 바닥에 주저앉는 유안나에게 다가가려다 유안나의 제지에 멈춰 선다. 최 간호사가 뛰어 들어온다.

간호사 선생님, 강신영 환자 호흡도 진정되고, 다행히 괜찮아요.

유안나 (버럭) 괜찮아? 뭐가 괜찮다는 거야! 이렇게 위험한 줄 알면서 패션쇼를 계속하는 게 말이 돼? 뭐가 괜찮은데?

간호사 죄송합니다. 선생님. 하지만……. (유안나 무대 밖으로 나간다.)

조명 암전.

7 __ 가을이 찾아오는 길목에서

유안나는 아름드리나무 아래 서 있다. 나뭇가지 사이로 햇살이 따뜻하게 비친다. 청명한 하늘과 흰 구름. 눈이 부시다. 아들의 목소리와 어디선가 등대지기 노랫소리가 들린다. 유안나, 조금씩 노래를 부른다. 아들이 좋아하던 자장가다. 오른쪽 주머니엔 메스가 들려있지만 꺼내진 않는다.

유안나 (등대지기의 마지막 소절을 따라하다가 아들의 웃음소리와 엄마를 부르는 소리.) 거룩하고 아름다운 사랑의…….

아들 소리 나는 우리 엄마가 세상에서 제일로 좋아.

유안나 나도 우리 아들이 세상에서 제일로 좋아!

아들 소리 엄마~~~ 엄마~~~

유안나 아들. 내 아들…….

유안나, 주머니에서 메스를 꺼내 한참을 바라본다. 이민정의 인기척에 메스를 주머니에 넣는다.

이민정 선생님, 여기 계셨어요? 와~ 날씨 좋다. (그녀는 만나려고 약속한 류철민을 찾는다. 유안나를 발견하고) 선생님, 여기 계셨어요? 사실……. 제가요, 런웨이 한번도 못해봤거든요. 제가 초등학교 때 키가 엄청나게 컸어요. 그래서 모델이 되라고 얘기를 해서 저도 모르게 꿈이 모델이 되어버린 거예요. 그런데 사춘기가 돼서 키는 더 이상 크지 않고 살만 찌더라구요. 어느 날, 93키로의 나를 발견했을 때 모델의 꿈이 멀어지나 했는데, 제가 나름 8등신이잖아요. 동대문에서 옷장사하시던 분이 저에게 빅 사이즈 모델을 해보면 어떻겠냐고 해서 모델! 뭐든 모델이면 제 꿈은 이루어지는 거잖아요. 그런데 어느 날 사진촬영을 하다가 제가 쓰러졌어요. 그때 알게 된 거죠. 그렇게 빵을 달고 살더니……. 그리고 빅 사이즈 모델조차 할 수 없게 어정쩡하게 살이 빠진 거예요. 70키로는 빅 사이즈 모델도 못하거든요. 77! 그래도 여기 병원에 와서 치료를 받다 최 간호사님의 패션쇼 제안에 얼마나 가슴이 설레었는지 몰라요. 비록 77이지만 44를 입는 모델처럼 당당하게 걸어보고 싶어요. 나만의 런웨이…….

유안나의 칼을 발견하고 소리 지른다. 신민규, 유안나를 찾다가 발견하고 이민정과의 대화를 지켜보고 있다가 이민정의 소리에 놀라 유안나를 보니

칼을 들고 있다. 메스를 뺏는다. 이민정과 만나기로 약속한 류철민, 나오다
가 그 소리 듣고 뛰어온다.

류철민　(신민규가 칼을 처리하는 일을 보고) 괜찮아요. 괜찮아.

신민규　정신 차려요. 유안나씨!!!

휠체어를 타고 산책 나오던 강신영과 최 간호사는 어수선한 사람들을 바라
본다. 신민규, 뺏은 메스를 최 간호사에게 준다. 강신영, 칼을 본다. 이민정,
무섭다.

강신영　무슨 일이야?

이민정　언니……. 선생님이…….

강신영　그렇게 죽고 싶으세요? 죽을 힘 다해서 정말 열심히 살았는데 남은
　　　　　건 죽음 밖에 없는 사람들도 있어요. 나도 나를 봐 버리고 싶었다구
　　　　　요. 그렇지만 모든 것이 사라지기 전에 꼭 잡고 싶은 것도 있잖아요.
　　　　　나같이 아무도 없는 인간도 이렇게 살고 있는데 선생님은 다르잖아
　　　　　요. 그런데도 이렇게 손목 그어 죽고 싶다구요? 너무 비겁한 거 아니
　　　　　야? 우릴 살려야하는 의사가 죽겠다고? 이건 기만이고 사치예요. 나
　　　　　같은 사람도 사는데……. 남들은 나보고 독종이라고 하지만! 저요!
　　　　　하도 울어서 이젠 가슴이 말라 눈물조차 나지 않는다구요. 아시겠어
　　　　　요?

류철민　(유안나에게) 가슴에 상처를 안고 사는 일이 쉽진 않죠. 당뇨성 망막증!
　　　　　어느 날 부터인가 일상의 모든 질서가 하나씩 무너지는 일……. 책
　　　　　상에 볼펜이 보이질 않고, 익숙했던 사람들의 얼굴과 물체들을 볼 수
　　　　　없다는 막막함. 처음 한쪽 시력을 완전히 잃었을 때 '그냥 확 죽어버
　　　　　리자'란 생각도 했습니다. 문득 딸아이가 보고 싶어지더라구요. 그래

서 무작정 비행기를 타고 뉴욕으로 날아갔습니다. 잘 보이지 않는 눈으로 그것도 한쪽으로 딸아이의 얼굴을 보고 또 보고, 보고 또 보고……. 지금은 (가슴을 때리며) 여기에 딸아이의 웃는 얼굴이 있습니다. 선생님! 힘드시죠? 쉽지 않은 일이란 거 알지만 이제 그만 인정하세요. 선생님이 이렇게 죽는다고 선생님 아들이 좋아할 거 같아요? 아니요. 선생님 아들은 선생님이 이곳에서 행복하게 살기를 바랄 거예요.

유안나 오열하며 무너진다. 주위 사람들 그녀의 오열하는 모습을 지켜본다.

조명 암전.

8 __ 런웨이

무대에 음악이 흐르면 축하 공연하는 그룹의 모습이 보인다. 3분 정도의 축하공연이 보여 진다. 제성그룹의 정기운 홍보팀장의 모습이 보인다.

정기운　네! 먼저 그룹 일류전 프로젝트의 멋진 무대를 감상하셨습니다. 다시 한 번 멋진 무대를 보여준 일류전 프로젝트 배우들에게 뜨거운 박수를 부탁드립니다. 안녕하세요? 신사숙녀 여러분! 저는 이번 2012 프로젝트 런웨이의 사회를 맡게 된 제성그룹의 홍보팀장 정기운이라고 합니다. 자, 여러분에게 기운을 팍팍 넣어드리기 위해서 정기운 다시 한 번 인사드립니다. 이번 프로젝트는 당뇨전문사설병원인 희망병원 주최와 제성그룹의 후원으로 기획되어진 행사로 수익금 전액은 당뇨환자들을 위해 쓰일 예정입니다. 오늘이 있기까지 많은 분들의 관심과 참여로 이번 행사가 준비되었습니다. 특별히 이번 무대는 프로 모델들이 무대에 서는 것이 아니라 당뇨병 치료를 받고 있는 희망병원의 환자분들과 병원관계자선생님들이 참여하였습니다. 다음은 이번 행사의 후원을 해주신 제성그룹 대표님의 축사가 있겠습니다. 큰 박수로 맞이해주시길 바랍니다. (박수)

제성그룹의 류철민, 무대로 나온다. 정기운 팀장, 마이크를 넘겨준다.

류철민 안녕하십니까? 류철민입니다. 오늘 이 패션쇼는 당뇨를 앓고 있는 환자들뿐 아니라 삶의 희망을 잃은 모든 이들에게 꿈과 희망을 안겨줄 겁니다. 제가 앓고 있는 당뇨성 망막증! 점차적으로 시력이 나빠져 앞을 볼 수 없게 된다고 합니다. 저 역시 성공 뒤에 건강상의 좌절과 고통의 시간을 보냈지만 전 희망을 잃지 않습니다. 소포모어 징크스. 2년차 징크스는 깨부숴야 합니다. 제가 미약하나마 이 패션쇼를 하는데 힘이 되었다면 영광으로 생각합니다. 오늘 저희 모두에게 응원과 힘찬 박수를 보내주십시오. 감사합니다.

정기운 (감동받으며) 정말 아름다운 축사였습니다. 감동의 물결이 쓰나미처럼 몰려옵니다. 여러분 준비되셨나요? 준비되셨나요? 자! 오늘 무대를 빛내줄 모델들의 힘찬 발걸음 지금부터 시작하겠습니다. 음악! 큐!

음악이 흐르고 모델들의 워킹이 시작된다. 등장하는 사람들. 패션쇼의 진행은 5분 정도의 화려한 무대로 진행되길 희망한다. 유안나의 모습이 보인다. 아들의 환영과 웃음소리에 런웨이 앞에 멈춰버린 그녀. 순간 모든 것이 정지된다. 침묵과 정적.

유안나 아들……. 보고 싶어. 엄마 이제야 선택을 했어. 힘내서 살아 볼게!

유안나, 손을 활짝 벌리고 런웨이를 당당하게 걷는다. 모델들 워킹하다가 무대에 쭉 서서 포즈를 취할 때 신민규, 앞으로 나온다.

신민규 정말 아름다운 무대입니다. 다들 행복해 보이죠? 아무리 절망적인 삶의 연속이라도 세상은 살만하다고 말합니다. 진정 우리의 삶이 살만한가요? 지금 우리가 행복하지 않다고 절망해서는 안 됩니다. 타인의 삶을 부러워하지 말고 돈과 명예보다는 주어진 삶 속에서 내가 얼마나 행복하게 사느냐가 중요합니다. 여기 있는 모든 사람들은 소포모어 징크스를 깨고 새로운 행복의 삶을 살아가려고 도약할 겁니다. 여러분께서도 긍정적인 에너지로 웃으면서 행복하시길 바라며 페르소나! 도약하십시오. 여러분. 행복하십시오!

사람들의 아름답고 당당한 모습들이 런웨이를 통해 멋지게 무대 위에서 펼쳐진다.

조명 암전.

공연 사진

유안나 役 김현

유안나 役 김현, 신민규 役 김혁종

유안나 役 김현, 신민규 役 김혁종

런웨이 연습 사진 _ 노상현, 김혁종, 송영학, 강선희, 윤부진

신민규 役 김혁종, 간호사 役 노상현, 류철민 役 송영학, 이민정 役 윤부진, 강신영 役 강선희

유안나 役 김현, 이민정 役 윤부진

유안나 役 김현, 신민규 役 김혁종, 간호사 役 노상현, 류철민 役 송영학, 이민정 役 윤부진, 강신영 役 강선희

이민정 役 윤부진, 강신영 役 강선희

유안나 役 김현

공연 커튼콜 사진

2012년 공연 포스터

인생은 살기 힘들지만 살만하다.

나이를 먹는다는 것은 참 쉽지 않은 일이다.

책임져야 할 것도 많고, 자신 이외에도 보살펴야 할 사람들이 많아진다.

하지만 나의 짧은 생각에, 삶은 아직 살만하다고 생각한다.

유학 생활을 마치고 2000년 한국에 완전히 귀국하면서 30대를 시작하였고,

벌써 14년째를 맞이하고 있다.

많은 일들이 내게 일어났다.

극단 '각인각색'을 창단하여 꾸준히 연극을 하였고,

대학교에서 학생들을 가르치며 후학 양성에 힘을 썼고,

한 아이를 키우는 엄마가 되었다.

사는 게 두렵고 힘겨웠던 20~30대를 지나

40대가 되어보니 주변의 좋은 사람들의 도움으로

마음이 평온하기도 하고 소소한 일상의 행복을 찾게 되었다.

감사하는 마음으로 삶을 살아가는 내가 되길 기도해본다.

살면서 실수하는 일과 부끄러운 일도 생기리라.

하지만 살면서 나의 부족함을 인정하며

지혜로움과 겸허함으로 내게 남은 인생을 감사하는 마음으로 살아가고 싶다.

재능도 없는 내가 희곡집을 내면서

10여년 넘게 활동했던 시간들과

도움을 받았던 배우들과 스탭들, 선배들, 후배들이 떠오른다.

너무 고마운 사람들이다.

일일이 이름을 열거할 수는 없지만

이 책이 나오기까지 함께한 모든 분들에게 감사의 인사를 전하고 싶다.

특히, 극단 각인각색 식구들과

나의 아들 석현이에게 고마운 마음을 전하고 싶다.

끝까지 어려운 여건에도 불구하고 기꺼이 출판을 할 수 있도록 도와주신

도서출판 동인의 이성모 대표님과 관계자 분께도

진심으로 감사의 말씀을 드린다.

2014년을 시작하며

이정하

이정하

서울예대 연극과를 졸업하고, 러시아의 쉐프킨과 슈킨을 거쳐 학사와 실기석사(MFA)를 취득한 후, 독일 베를린의 안나 트리벨(Anna Triebel)에게 배우 움직임을 사사받고, 2000년 귀국하였다. 현재는 세명대학교 공연영상학과 교수, 극단 각인각색 상임연출, 한국연극연출가협회 기획총괄이사를 맡고 있다.

| 대표 연출작 | 〈암각화AD2001〉〈문, 벽, 콘크리트〉〈피살된 흑인을 위한 의식〉
〈우리 오마니 살아계실 적에...〉〈몽중설몽〉〈최진태 살인사건〉〈여름제비〉
〈고향〉〈불청객〉〈유산〉〈역사는 흐른다〉〈결혼피로연〉〈물고기배〉〈열어주세요〉
〈백조의 노래〉 등

우리 오마니 살아계실 적에

초판 발행일 2014년 2월 25일

지은이 이정하
발행인 이성모
발행처 도서출판 동인
주 소 서울시 종로구 명륜2가 237 아남주상복합아파트 118호
등 록 제1-1599호
TEL   (02) 765-7145 / FAX (02) 765-7165
E-mail dongin60@chol.com
ISBN   978-89-5506-560-2
정 가 8,000원

※ 잘못 만들어진 책은 바꿔 드립니다.